心に刺さる、印象に強く残る

超・引用力

伝えたいことを最も効果的に伝える

コミュニケーション・アナリスト
上野陽子

青春出版社

●はじめに

あなたは、こんなふうに感じたことはないでしょうか。

・自分の言葉の信頼性を高めたい
・人の心に響き、行動を促せるような話ができないか
・心に刺さるおもしろい話にするにはどうしたらいいか
・記憶に残るプレゼンやスピーチにしたい……

仕事か日常かを問わず、「相手の心を動かすことができれば、もっとうまくいくのに！」と、もどかしい経験をした方は少なからずいることでしょう。
あと一歩、言葉に力が足りない、インパクトが弱い気がする……と。

こうした場面で自分の言葉にもっと信頼性を与え、人の心に刺さり、相手に行動を

促すためのコツが本書でお伝えする「引用力」です。

私はコミュニケーション・アナリスト、翻訳家として仕事をし、これまで世界中のあらゆるスピーチやさまざまな人の言葉、コミュニケーションを研究してきました。

私自身、さまざまな人の話からたくさんのことを学ぶ中で感じたのが、人の心を動かすことができる話し手には、ある共通点があることです。

そのひとつが「引用がうまい」ということでした。


一流の話者として知られたスティーブ・ジョブズは、実は引用の達人でもありました。詳しくは本文でご紹介しますが、こうした話し手たちは、自分の伝えたい言葉や話に「引用」を加えることで内容を補強し、鮮明なイメージを残し、信頼性を高め、シンプルかつ本質をついた話に仕上げていきます。

ひとつのフレーズを生かすことで、心に響くストーリーを生み出し、人を動かすことができるようになります。

情報を発した人や媒体の、背景や言葉の力を話の流れで生かせた瞬間、まるで味方が援護してくれるかのように、内容が力を帯びて魅力的に変わっていくものです。

たとえば、チームのメンバーにただ「目標に向けてがんばろう！」と言うのに加えて、元プロ野球選手のイチロー氏のこんな言葉を引用してみます。

今、自分にできること。
頑張ればできそうなこと。
そういうことを積み重ねていかないと、遠くの目標は近づいてこない。

言葉の力と、発したイチロー氏のバックグラウンド。自分が伝えたい「目標に向けてがんばる」という思いに、成果をあげた人の言葉を加えてみることで、より発言がパワフルになり、気持ちが強く相手に伝わりそうではないでしょうか。

ほんのひと言の引用が、私たちの伝える力を押し上げてくれる一例です。

本書では、こうした「引用力を高める技術」をお伝えしていきます。それは、ただ名言やセリフを用いるということではありません。今日の話を深く相手の心に残すために、〝聞き手に合った〟あらゆる〝効果的な〟引用をすることです。

第1章では引用の効果と、伝える内容に合った引用の見つけ方をご紹介します。書き込むだけで話の目的がまとめられるページも用意しました。

第2章では、実践的に引用をアレンジするために、イメージを浮かべてもらい、数字を生かし、信頼度を高め、シンプルに刺さる「引用レシピ」をお伝えします。

第3、4章では、映画や書籍ほか諸媒体からの引用の仕方、物語やエピソードの使い分けをご紹介します。第5章では、引用の引き出しの作り方やインプット、アウトプットの方法を解説していきます。最後の第6章では「今日から使える名言集」もつけましたので、心に響き、場面に合う言葉を見つけてみてください。

最終的な目標は「自身の伝えたい内容を、より効果的に伝えること」。

その結果としておもしろく、よりパワフルで、説得力が高い話に仕上げられたらこの上ありません。

本書が、読者のみなさまの伝える力を高め、言葉を磨くきっかけのひとつになれましたら幸いです。

コミュニケーション・アナリスト、翻訳家　上野陽子

目次

第2章

刺さる言葉を作る「引用レシピ」

第3章

深みを作る「言葉・名言」を引用する方法

第5章
「引用の引き出し」を作る習慣

第6章 今日から使える名言集

本文デザイン：山之口正和＋齋藤友貴（OKIKATA）
図版制作　　：二神さやか
ＤＴＰ　　　：野中賢／安田浩也（システムタンク）
編集協力　　：鹿野哲平

第1章

なぜ、「引用」は人を惹きつけるのか？

相手の心に刺さる「引用力」の秘密

立て板に水が流れるように話したり、文章に人を引き込んだり、「ああ、この人おもしろいなぁ」と心を惹かれた経験はありませんか。

笑えるような人を楽しませるエンターテインメント性があるわけではないのに惹かれる、どこか深みや味わいのある話。

私はさまざまなコミュニケーションの記事や名言集などの書籍を書いてきました。いろんな方の取材をしたり話をしたりして、伝え方が上手な人の多くにある特徴を感じています。

それは、たとえ雑談でも話が理解しやすく、雑多に話しているようでもちゃんと起承転結があったり、オチがついたりすること。紋切り型でも、語るタイプでも結論がわかりやすい。

加えて特徴的なのが、引用を上手に使っているということです。

日常的に蓄えた、さまざまな言葉やデータなどの知識やメディアなどで得た情報を、ほんの少し手を加えて話の中に取り込んでいます。

知識それ自体、あれこれ情報を取り込んだ引用の集合体のような側面も見られます。その断片を切り取って、また別の話の流れに組み込んでやることで、新たなストーリーになっていきます。

引用元の種類については第3章以降で触れますが、名言もあれば失敗談やちょっとしたエピソード、あらゆる数字やデータも引用できます。簡単なところでは「誰かがこんなふうに言ったんだけどさ」というのも引用ですね。

テレビで芸人さんたちがテーブルを囲んで話すエピソードでも、人との会話や経験談などがふんだんに盛り込まれています。

引用は、自分が伝えたいことや主張を補完し、拡張し、押し上げてくれる役割を果たすもの。話が引用によって展開され、進化して、どんどんおもしろくなって、人を引き込んでいってくれます。

引用を自分の名言に変えたスティーブ・ジョブズ

引用の名手といえば、スティーブ・ジョブズです。

ジョブズは、ご存じの通りアップル社を創設しiPhoneやiPadなどを生み出した人物ですね。以前私は、『スティーブ・ジョブズに学ぶ英語プレゼン』(日経BP社)という本を執筆する機会をいただき、彼に関する本を読んだり、プレゼンをたくさん見て分析をしてきました。

特に、スタンフォード大学の卒業式のスピーチ「ハングリーであれ、愚かであれ」の名言は有名です。

これは、まるでジョブズの名言のように独り歩きしていますが、実はジョブズが考えた言葉ではありません。

「ホールアース・カタログ」という雑誌の裏表紙に書かれていた言葉を、スタンフォードでのスピーチ原稿で引用したものでした。

スピーチの中でその雑誌の魅力について語り、掲載された荒野の一本道の写真と、そこに書かれていた「Stay hungry, stay foolish（ハングリーであれ、愚かであれ）」の言葉を、こんなふうに説明していました。

「（雑誌ホールアース・カタログの）最終版の裏表紙は朝の田舎道の写真で、冒険好きがヒッチハイクをしていそうな場面でした。その下にこんな言葉があります。『ハングリーであれ、愚かであれ』。これは、（編集長の）スチュアートたちが活動を終えるに当たっての別れの言葉。私は常にこの言葉のようにありたいと願ってきました。そして今、皆が卒業して新たに歩みを始めるに当たり、皆にもそうあってほしいと思います。

ハングリーであれ、愚かであれ」

こうして締めくくられたスピーチでジョブズが学生たちに贈った言葉は、ジョブズが思い描くハングリー精神を端的に表し、あまりにインパクトが強いものでした。

聞き手も自分たちを鼓舞してくれる言葉として、ハッとさせられ、さらには覚えやすいフレーズだったこともあり、誰にとっても心に残る名言になったというわけです。

これが「雑誌の裏表紙にこんなふうに書かれていた」と説明しただけでは、ここまでの広がりはなかったように思います。

最後に念押しで、この短く濃い言葉を繰り返して締めくくった粋な使い方。この提示方法こそが言葉自体にインパクトを与え、名言として引用された言葉以上に名言化されたのでしょう。

広くこの言葉を知らせてくれたのがジョブズだっただけ。でも、ジョブズが養子であり、大学を中退して食べ物にも困る日々を送り、自分が作った会社も追われ、ガンになって死と向き合い……と紆余曲折の人生が語られたあとだったからこそ、そしてジョブズ自身の心が動いた言葉だからこそ、誰しもの心に刺さったのだと思います。

話がうまい人の共通点

論理的かつ刺さる話

「話がうまい」というと、どんな人を思い浮かべるでしょうか？

プロのお笑い芸人の方々、あるいはアナウンサーやラジオＤＪでしょうか。ＴＥＤなどに登場する一流のプレゼンテーター、もしくはご自身の周りにいる話し上手な人を思い浮かべるかもしれません。

私はコミュニケーション・アナリストとして、これまで国内に加えて海外のコミュニケーターを含め数多くの話者にインタビューを重ね、さまざまな媒体を通じてのコミュニケーションを分析してきました。

こうした経験をもとに、一般的に話がうまいと感じる人の特徴を、大きく3つに分類してみました。それは、

・論理的に話ができる人
・ストーリー性のある、刺さる話ができる人

そして、両方を兼ね備える

・論理的に話の筋を通し、かつ刺さる話ができる人

「論理的に話せるけれど、刺さる話にまではいきつけない」という人もよく見かけるかと思います。でも、「刺さる話ができる人」は概して、「話の道筋をつけて論理的にも話せる人」が多いように思います。

たとえば、いろんな分野の人がプレゼンテーションを行うTEDでは、さまざまな話が繰り広げられます。

動くデータでおもしろおかしく社会問題を提示した学者から、元気にプログラミングをする80代の一般女性、脳梗塞になった瞬間に自分の脳を観察した脳科学者、企業経営者からアーティストや大道芸人……まで。繰り広げられるのは、思い思いのテーマでさまざまなエピソードが盛り込まれ、心に残る「刺さる話」ばかりです。

どんな分野の人でも、魅力的な話をすることは可能なわけですね。

プレゼンの舞台なので、たとえ素人でも話の道筋をしっかり組み立てて、そこに効果的な話題を盛り込んで、聞いたあとに思わず拍手が生まれるような刺さる話に仕上げています。骨格がしっかりある上で、飛び出してくるエピソードやデータなどさまざまな引用が秀逸。ネットにあがっていますので、プレゼンの妙を参考にしたり楽しんだりするだけでなく、話のネタとして見ることもお勧めです。

さて、こうした「刺さる話」を生み出すカギとなるのが、本書のテーマとなる「引用」です。「引用」の意味を辞書で引くと次のように書かれています。

人の言葉や文章を、自分の話や文の中に引いて用いること。

『デジタル大辞泉』

自分の論のよりどころなどを補足し、説明、証明するために、他人の文章や事例または古人の言を引くこと。

『精選版 日本国語大辞典』

先ほど紹介したように、誰かが発した言葉や文章などを用いることがそれに当てはまります。

偉人や成功者の名言、誰かのスピーチや書籍、新聞などの言葉、心に残った漫画のセリフまで……こうした名言を引用することはもちろんです。

これに加えて、本書における引用はもう少し幅の広い意味で捉えています。自分が体験したことや、誰かから聞いた話といったエピソード、たとえ話や論拠の支えとなるデータまでを含めたいと思います。

先ほど紹介した辞書的な意味のほかにも、「自己引用」という言葉があります。論文などで自分が書いたものを引用する方法であり、X（旧ツイッター）でいえば、自身の投稿を自ら引用リツイートするような感じでしょうか。こうした過去にあった出来事や以前伝えた話も引用として捉えます。

自分の経験談でも他者の体験談でも、あらゆる事例を適切に盛り込むことで、相手の心に響く話になるものです。こうして上手に入れ込んだ引用をエッセンスとすることで、印象に残る「刺さる」話になることと思います。

論理的なのに言葉が刺さらない理由

「言葉が刺さる」
「話にインパクトがあった」

といった表現を耳にします。それは、相手の言葉や話が心に残り、驚き、感動を受けることだと言えるでしょう。論理的でうまい話し方はスッと理解できますが、果たしてそのままで誰の心にも残る、刺さる話になるでしょうか？

たとえば、ビジネスの世界では、ロジカルシンキングをベースにした端的な伝え方が基本とされていますね。

時間がない相手を見つけてすかさずビジネスチャンスをつかむなら、要点をスパッと投げ、相手のメリットを明らかにし、理路整然とすぐに答えが出せる話し方が必要になるでしょう。いかに論理的に、要点をついて話せるかが大切なわけです。

ロジカルであれば聞き手はその話の道筋についていくだけで、結論までうまくたどり着けます。言いたいことが聞き手にストレートに入っていくので、用件の相互理解や、情報を伝えるときにはうってつけの方法です。


ところが、相手に何かしらの魅力を伝えたり、話に引き込んだりするときには、どこか事務的で殺伐として、物足りない印象になる可能性もあります。

論理的かつ端的な話は、まっすぐなコンクリートの高速道路のようなものです。殺風景であったとしても、目的地に最短でたどり着けて快適ですし問題はありません。

一方で、ストーリーに乗せた引用のある話は、目的地までの途中で寄り道をして楽しめる、潤いのある道のようなもの。車で走り出したら周りの木立が美しく、途中にあった古民家のそば屋は炭火で焼いた鮎が旨いし、食後の水出しコーヒーが……と、こちらは遠回りながら「すごくよかった」と人に話したくなる要素がたっぷりの通り道になりました。

伝え方も同様だと言えるでしょう。

「引用」というスパイスが心に響く

刺さる話はただ情報をストレートに伝えるだけでなく、ストーリー性や意外性が盛り込まれています。心惹かれるようなインパクトのある言葉や話題を引用して話に引き込み、聞き手が「ちょっと聞いてよ」と誰かに伝えたくなるような話題に仕上げます。その人がまた聞いた言葉を引用することで、さらに話が広がりを見せてくれます。

近年は、ジョブズのような海外の経営者はもちろんですが、日本の経営者などでも、どんどん人前に出てプレゼンテーションをする方が増えています。

そのとき誰もが大切にしているのが「話題にしたくなる要素」を盛り込むこと。新製品や最新機能など目玉も用意しつつ、それに加えて話に盛り込むのが、開発エピソードであったり、自分の理念を端的に言い得た言葉の引用だったりします。

話題にのぼらなければ、大勢の人の前で話してもそれ以上の広がりは生まれません。展開や展望に広がりがあり、人に知れわたってこそのプレゼンです。

こうして聞き手の興味をそそる話題に仕上げて印象付けるわけです。

これは、日常の会話や営業などビジネスの場面などでも同じです。

情報を提供し、自分の理想や思想などを一方的に伝えるだけでは魅力的な話にはなりにくいもの。

そこに少しのスパイスとして、印象に残るような言葉や出来事、すごいデータやおもしろいエピソードを上手に加えて、聞き手が持ち帰れるようなお土産話に仕上げましょう。

そんな「引用力」が、話の中で人を惹きつける大きな役割を果たしてくれます。

引用を自由に扱えるようになって、初めて大きなインパクトを与え、記憶に残り、誰もがまた人に伝えたくなる「刺さる話」ができるようになるのです。

「語彙力」を生かした「引用力」

会話を魅力的にし、人の印象に残る話をするために、近年は「語彙の豊富さ」にも多くの人が注目しています。

語彙力とは、さまざまな言葉を理解し、場面に応じて使う言葉を取捨選択する力のこと。語彙が豊富で、機知に富んだ言葉を選べると、その人の教養の深さも感じられる「刺さる話」になりやすくなります。バリエーションが豊かで、より適切に伝わる、印象に残る表現ができるからです。

逆に、語彙力が低ければ、言い換えのバリエーションに乏しくつまらない印象を与えてしまいます。

たとえば、映画を観たり、読書をしたりしたときに「ヤバい」「すごい」としか表現できない人は、語彙力が低いと受け取られるかもしれません。

さまざまな言葉や表現を知り、場面に合わせて使いこなせることは、自分の話により深みを与え、内容を豊かにするための武器となります。これを生かすことで、名言やエピソードなど魅力的な表現を選んで、効果的な引用ができるようになり、聞き手の記憶にしっかり刻まれる話ができるようになるのです。

これが「刺さる話」を生み出すコツです。

こうして引用を意識するようになると、自然と語彙力も鍛えられていきます。

なぜなら、日常的に人の言葉を気にかけたり、活字を読んだりと意識して吸収する言葉の量が増え、さらに自分自身の体験を言葉にすることで、表現にも気を配るようになるからです。

読書を好む人は自然と語彙を蓄え、知らないうちに知識を吸収していきます。同様に、引用を目的として自分の中にない「誰かの言葉」を借りようと意識したとき、自然と語彙や表現を学び、新しい表現のバリエーションを手に入れることができます。

そして、自分の中で咀嚼《そしゃく》し言葉と向き合うことで、さらに語彙力も磨かれていくことと思います。

「引用力の高さ」が言葉に説得力を生み出す

「引用力が高い」とはどういうことか？

そもそも「引用力が高い」とはどういったことでしょうか。端的に言えば、

多くの言葉や情報の引き出しから、
最適な材料を取り出し、
話題をパワーアップさせる

そんな力が高いということです。

では、「引用力を高める」ためのポイントを見ていきましょう。

■引用力を高める方法1　「言葉の引き出し」を作る

「言葉の引き出し」は自分の頭の中で、表現や話題や知識を整理しておく場所です。

そこには自分が持っている言葉や表現に加えて、書籍、新聞、過去の経営者のスピーチ、身近な人の体験談、興味深いデータ、深くていい話……など、多様な会話の材料が入っています。

その引き出しが多く、多様な材料が入っているほど引用がしやすくなるわけです。

引用の引き出しを増やすコツは、自分の心に響いた言葉を意識して記録や記憶すること。気に入った1冊の書籍、ひとつの映画や小説、興味を惹かれた日常の出来事など、日々の体験を大切にすることから始めましょう。

自分の心に響いていない名言をただ引用しても、その魅力が引き出し切れず、相手に刺さることはなかなかありません。そういった言葉をたくさん集めても引用のストックにはならず、さらに引用としてスッと使いこなすことは難しいもの。

本当に自分の心に残った言葉をサラッと引用することで、多くの人の心に響き、刺さる言葉になることでしょう。

■引用力を高める方法2　話に合った引用のパターンを作っておく

2つ目は、引き出しから材料を選りすぐって取り出し、最適な場面や部分で、ピッタリはまる引用をすることです。

自分だけの話ではいまひとつインパクトが足りないとき、引用を使って違う言葉に置き換えたり、その道の達人の言葉を借りて強めたりすることで、話の説得力を高めることができます。同じ内容でも、誰が言ったかでその重みは変わってきますし、違う言い方だからこそ腑に落ちることもあります。

いかに、〝今この話に必要な内容〟を取り出すかが大切です。たとえば、

子どもの話題ならAの話。
新製品の話題ならBの話。
スポーツの話題ならCの話。

こんなふうに自分の中でパターンを作っておくことで、その場にピタリとくる引用ができるようになります。即興の話でありつつ、常に用意された話を組み込むだけ。これだけでも聞き手には、知識があり、話が上手な人と映ることでしょう。

そのためには、ただ闇雲にいい言葉を引用したり著名人の名前を引っ張り出したりするのではなく、まさに言い得て妙な言葉を引用すること。あるいは、その引用があるからこそ、伝えたい内容がより力を帯びるようにすることです。

最終的には話をおもしろく、よりパワフルにして説得力を高めることを目的とします。

たとえば「おいしいお店に行こう」と言われるよりも、「魯山人《ろさんじん》も〝旨い〟と言った店に行こう」とひと言引用したほうが、誘われた人の興味をより引けそうですね。

あるいは、「あのレストランのシェフ、ホテルで皿洗いをしていたのに、思い立ってフランスで修業して自分の店を開いたらミシュランの星がついたんだって。今日はそこに行ってみない？」と、料理人のエピソードを交えてみます。

このような少しの言葉で、ただ「行こう」と言うよりも、ずいぶんと人の気持ちを動かせるようになるものです。

これは会話のたとえにすぎませんが、根底に流れるのは同じこと。ちょっとした会話でもプレゼンでも、こうした引用が相手に刺さる話ができるかどうかの決定打になるのです。

言葉をとがらせて話の流れに取り込む

ジョブズの名言として有名な「実は引用」には、こんなものもあります。

アップル社を作った初期のころから、私たちは「常にパックが向かう先に行く」ことを心がけてきた。

これは、アメリカ人なら誰もが知っているナショナルホッケーリーグ歴代最高のスター選手ウェイン・グレツキーの言葉「パックがあったところではなく、パックが向かう先に滑っていくんだ」を引用したものです。彼は常に先を読み、必要なときに絶対的な場所にいて決定的な動きをする選手でした。

スター選手の言葉をサポートとすることで、アップル社の人気と実績、そして常に先を読む会社であることも印象づけています。時代を追いかけるのではなく、時代を先回りして製品を作っていく。そんな気持ちが伝わってくる言葉です。

「パック」は製品パッケージともとれますが、やっぱりアイスホッケーのパックです。それでも「ジョブズの名言」として出てくるのは、引用した言葉の意味がジョブズの言いたいことをあまりに言い得て妙だったからでしょう。

こうして引用が内容にハマるほどに、その言葉が主張を光らせる上に、まるで自分の名言かのように文脈に溶け込んでくれます。自分の伝えたいことを、より鋭利な表現で聞き手の記憶に突き刺すために、長い文脈から引き抜いた言葉をよりシャープにして取り込むと、さらに効果があがります。

言葉をとがらせる方法は、第2章で見ていきましょう。

相手に伝える目的を整理しよう

「引用」は、聞き手のメリットを第一に考える

引用を使って相手にインパクトを与え、心にグサッと刺さる、伝わる話をしようと思ったときに、大切にしたいことがあります。

それが「伝える目的を整理すること」です。

人に何かを伝えようとしたとき、その目的は何でしょう。営業やプレゼン、頼まれたスピーチ、広告用のメッセージなど、まずは今必要なことから考えてみましょう。

・理解してもらう

・納得させる
・感銘を与える
・行動を起こさせる
・楽しませる

たとえば、〝買ってもらうこと〞なら「行動を起こさせる」。とにかく商品を気に入ってもらうこと〞なら製品の品質を「納得してもらうこと」かもしれません。

こうした目的を明確にして、話を組み立てて、目的に合わせて主張をサポートできる言葉やデータを引用していきましょう。

ワンフレーズ、ワンセンテンスを加えるだけで、自分の言葉に物語が生まれます。

たとえば、論文で先行研究から引用する一文やデータは、その内容を基礎や証拠として、そこから研究を進めるための下支えにもなるのはご存じの通りです。引用をすることで、自分が言いたいことをサポートし、意見の土台にすることもできます。

今日伝えたい内容や題材によって、引用する言葉やデータの種類も変わってくるわけです。聞き手が誰か、どんな場所か、時代はどんなか……こうしたことを加味した上で、何よりも話し手であるあなたが「伝えたいことは何か」、これらをはっきりさせることが大切になってきます。

どんなときでも言えるのは、聞き手が何かメリットを感じるような話を〝与える〟ほうが、ずっと話に惹きつけておけるということ。刺激を受けたり、新しい情報を得たりと、聞き手が自分に役立つ内容だったと感じる……そんな思いの先回りをすることが、結果として今日の話の目標達成になるものです。

たとえそれがコンペでのプレゼンであったとしても、自分が何かを取ろうとするよりも、第一に考えるべきは〝与えること〟。聞き手に何かを与えることができれば、より興味を持って話を聞いてもらえます。

話をする目的に沿って「この話は自分のためにされている」と感じてもらえる内容を考えていきます。加えて他の人の知恵を借りるために引用を上手に利用することで、さらに主張を強め、伝えたい内容をクリアにしていきましょう。

伝えたい内容のゴールに合わせる

具体的なアレンジについてお伝えする前に、再度確認していただきたいのは、

「自分が伝えるべきことは何か」

を意識すること。そして、自分の主張を強めるような引用をすることです。

特にスピーチや講演などで台本を作る時間があるときは、伝えるべきことをコアに考えてみましょう。

伝えたいことを明確にすることで、どんなふうに話を展開すると力を発揮できるかが見えてきます。そして、引用する言葉や、さらにはその発言をする人物なども効果的な選択ができるようになります。

では、引用の効果と、どんなふうに引用していくかを具体的に考えてみましょう。

いい言葉や役に立つデータや言葉はたくさんありますが、それを有効に使うためには、「伝えたい内容・目的は何か」にそれらがピタリと寄り添ってくれる必要があります。


繰り返しますが、ゴールはただひとつ。

「伝えたいことを、効果的に伝えること」です。

相手は誰か・求めていることは何か

人は誰でもその話を自分事として聞いているものです。どんなに素晴らしい話でも、どこか遠くの自分とまったく関係ない話には、なかなか耳を傾けてはくれません。

そのため、今話をする相手が誰なのか、どんなことを欲しているのか……など、相手のことを理解した上で聞き手にとって有益な話をし、聞き手を話の一部に取り込むことが必要になります。そのときに話を聞いてくれる相手の生活、仕事、環境……などを知り、聞き手自身の話としたいところです。

話をする前に街を歩く、相手のことを知る、そんな些細《ささい》なことから、話の内容は決まっていきます。そして、どんなたとえや引用をしたら有効なのかもわかってきます。

たとえば、ある選挙演説を聞くとしましょう。

その演説内容が「快適な生活をもたらします」というものだったとします。

ここで考えたいのは「快適な生活とは、どんなものか」です。誰にとっても「快適」といえば、心配事がなくて居心地のいいこと。公約にもよりますが、万人に理解してもらいたいところでしょう。

ただ、具体的に話すターゲットを考えてみると、ビジネスマン、子ども、ひとり暮らし、子育て中の夫婦……それぞれに視点が異なっています。たとえ同じビジネスマンであっても、年齢や分野ほか置かれた環境によって心に響く言葉は違ってくることでしょう。

もちろん、およそ誰にもピッタリくる言葉もありますが、そのときの聞き手の生活に入り込み、自分事としてもらえるような引用を探しあてたいところです。うまくその人の気持ちを動かせれば、今日の伝えたいことは、のどが渇いているときに冷たいお水を差し出されたように、スッと心に染み込んで記憶に残るものです。

次ページの枠内の質問に答えるだけで「伝える目的と聞き手の整理」ができるようになっています。

ここから、話に力を与えてくれる引用を探してあててみてください。

さて、次章からは、ご紹介してきたようなさまざまな引用をアレンジして使いこなすための構造を「レシピ」としてお伝えしていきます。

伝える目的を整理する方法

伝えたいこと
主張

＋

含めて考えること

聞き手は誰？
どんな人？

場所や文化は？

時代や流行？

年代は?

好みは?

効果的な引用は?

言葉から考える
人から考える
有益なデータを使う……

第2章

刺さる言葉を作る「引用レシピ」

レシピ1　鮮明なイメージにする引用レシピ

イメージを想起させる

話を聞いていてイメージが湧いたり、味が想像できたりすることがあります。それは、「自分が知っている何か」に置き換えたり、名言などで言い換えたり、ストーリーの流れで頭に浮かべたりすることでより鮮明になるものです。

「言い換える」「たとえる」とは、聞き手がわからない・わかりにくいものを、イメージがつかめるように、「別のわかりやすい何かでイメージさせる」こと。

ひとつの方法は、五感で覚えているような言葉を加えることです。

わかりやすく言葉でたとえるなら、「柚のような香り」「バナナのような食感」と言

レシピ1　鮮明なイメージにする引用レシピ

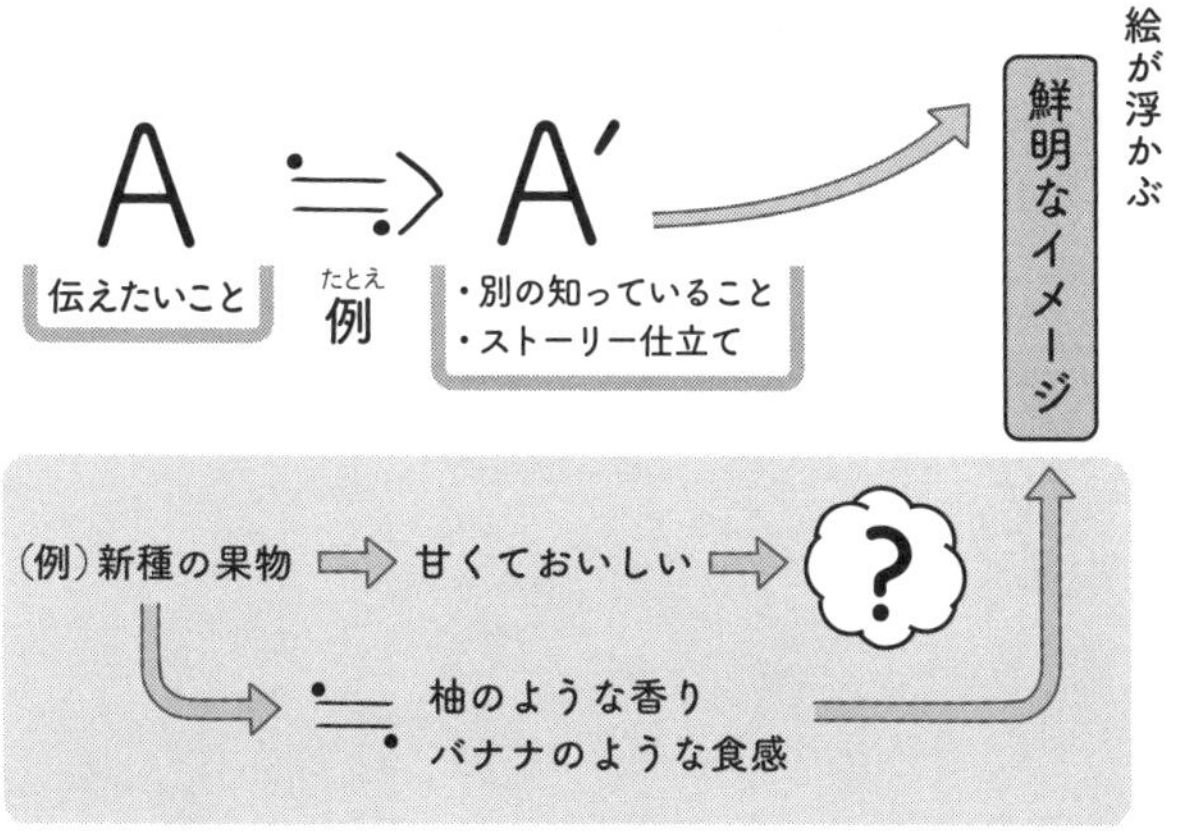

うだけで、肌感覚的にそのイメージがつかめ、感情に訴えかけます。

レモンと聞くだけで口の中が本当に酸っぱくなるように、五感を刺激するイメージの引用は、印象が強く残り効果的なのです。

名言などを引用するときにも同様に、自分が伝えたいことがさらに聞き手の心を動かすように言い換え、たとえてくれるような言葉を使うことで、こうした効果が得られます。

たとえば、「きっと状況はよくなる」と伝えるなら、こんな比喩を使った名言を付け加えてみることも考えられそうです。

虹が欲しければ、雨は我慢しなきゃ。

女優　ドリー・パートン

夜明け前が一番暗い。

映画『ダークナイト』（イギリスのことわざ）

つらい状況を、冷たい雨や暗い夜にたとえてありますが、自然を使った隠喩的な名言であるぶん心に染みる引用になるかもしれません。

まとめ

五感を刺激する言葉で、イメージを想起させる

鮮明なイメージが浮かぶ言葉を選ぶ

今度は、イメージが浮かぶような具体的な引用例を見てみましょう。ここでは、もうひとりの引用名人、デール・カーネギーが著書『心を動かす話し方』の中で学生の言葉を紹介していた例をお見せしましょう。

「ハイウェイでおこる自動車事故の恐ろしい死者数を、こんな地獄絵にしてみせてくれました。
あなたはいまニューヨークからロサンゼルスに向かって大陸を横断していいます。その道筋のハイウェイの標識の代わりに、棺桶がたっているものと考えてみてください。その棺桶には、昨年の自動車事故の犠牲者が、ひとりずつ入っています。あなたの車は、5秒ごとにひとつずつこの陰気な標識のそばをかすめて行きます。というのは、それを1マイル（1・6㎞）に12個の割合で置くと、大陸の端から端まで、ズラリと縦に並べることができるからです！」

この話を聞いたカーネギー氏は、車に乗るたびにその絵が浮かんでしまった……ということでした。

とてもインパクトの強い引用で、実際に目にしていなくとも、大陸に一直線に並ぶ棺の姿が目に浮かびます。その光景が目の裏に焼き付いて、棺桶の中のひとりにならないように交通安全に努めたくなるというもの。交通安全を訴えるという目的には、かなり効果を発揮しそうです。

こんなふうに、実際は目にしていないのに鮮明にイメージが浮かびそうな表現があったなら、すかさず引用してみましょう。言葉にして鮮烈なインパクトを残すことができるようになります。

まとめ

鮮明なイメージが浮かぶ言葉で、鮮烈なインパクトに

ストーリーに乗せる

「どうせいつ死ぬか知れぬ命だ。なんでも命あるうちにしておく事だ。死んでからああ残念だと墓場の影から悔やんでもおっつかない」

潔いこの言葉、発しているのは猫。

ご存じ、夏目漱石の『吾輩は猫である』の終わり近くの一節で、猫が人間を真似て思い切ってビールを飲む場面の心情です。

こうした場面は、引用元を明らかにしてストーリー仕立てで伝えると物語性が出るため、場面も目に浮かんで効果的です。ただ、そもそもこれが猫の心情という特殊な状況なら、まずは引用から入って種明かしをするのもおもしろいかと思います。

なんでも思い切って挑戦すべきだ、あるいはよく耳にする「人生最後の日のように生きる」をちょっと皮肉にした場面。その結果、うかつに甕《かめ》に落ちて死んでしまう不条理なオチも描かれています……と、その先まで伝えられたらより深みが増します。

もうひとつ例を見てみましょう。たとえば16世紀ルネサンス時代から近代の政治思想や国家論にまで大きな影響を与え、今でもその思想の人気が高いマキャベリ。著書『君主論』の中で著した、

「君主はライオンのような勇猛さとキツネのような狡猾《こうかつ》さが必要である」

という名言で有名です。これは、長い文章をひと言にまとめたもので、本来そのままの言葉があるわけではありません。

『君主論』に描かれた本来の話の流れを簡単にまとめたストーリーとして紹介してみると、よりおもしろ味が増しそうです。あるいは、政治思想家で作家のマキャベリ自体がどんな人だったかをストーリー仕立てにしてみるのもいいかと思います。

名言主が偉人や著名人、何かを成し遂げたような特徴的な人のときには、その人生や言葉の背景の話はとても興味深く、さらに言葉に重みが加わります。

まとめ

ストーリーに乗せると、聞き手を話に引き込める

「絵に浮かびやすいもの」を選ぶ

日本人はよく、広さや大きさをわかってもらうために「東京ドーム3つ分の広さです」のように伝えます。

実際には東京ドームのサイズを知らないし、行ったこともなく、「東京ドームの広さなんてよくわからない」というのが本音かもしれません。それでも、なんとなくの大きさが思い浮かび「そんなに広いのか」という印象を受けるのではないでしょうか。

こうしてイメージが浮かぶ言葉を引用することで、およそ自分の中にある何かを持ち出して理解できるようになります。すると、伝えたいことが聞き手の中で明確になり、さらに絵として脳裏に浮かぶのでより興味を持ってくれるようになります。

ほかにも東京都の何倍、琵琶湖くらい、地域の公園のサイズなど、その話をする場面に合わせてわかりやすい〝絵〟を言葉にしてみましょう。どれも実際の数字や具体的な大きさを知らなくても、かなりイメージがつけやすくなります。

どんなに壮大な話でも、身の回りの手の届く範囲で置き換えができる事象に落とし込んでみることです。身の回りのことなら「あれか」とイメージして、聞き手がより話を身近に受け取り、理解も深まります。

まとめ

絵として頭に浮かぶと、理解度が高まる

ポイントまとめ

「鮮明なイメージにする引用レシピ」のポイントまとめ

■イメージを想起させる
↓五感を刺激する言葉で、イメージを想起させる

■鮮明なイメージが浮かぶ言葉を選ぶ
↓鮮明なイメージが浮かぶ言葉で、鮮烈なインパクトに

■ストーリーに乗せる
↓ストーリーに乗せると、聞き手を話に引き込める

■絵に浮かびやすい言葉を選ぶ
↓絵として頭に浮かぶと、理解度が高まる

レシピ2　数字を生かす引用レシピ

では次に、実際に数字を生かして応用する方法を考えてみましょう。

数字やデータを引用することで曖昧《あいまい》さが回避できて、確かな根拠が示せ、話の信用につながります。ところが、大きすぎる数字は規模がつかみにくく、聞き手にはイメージがつかないなど、やっかいな場合もあります。ここでは、数字をわかりやすく引用するための方法をいくつか見ていきましょう。

知っているもので大きさを見せる

「このリゾート地の広さは、約14ヘクタールです」

たとえば広さを説明するときに、具体的な数字を言われても、どのくらい広いかわからないことが多いですよね。そのため日本人はよく東京ドームを持ち出すわけです。大切なのは、聞き手がイメージしやすく、わかりやすいデータを引っ張ってくることです。

データ1：東京ドーム（建築面積）は約4万7000平方メートル、4・7ヘクタール
データ2：一辺が約216メートルの正方形
データ3：小学校の25メートル（25×12）プールは0・03ヘクタール

まずは広さのデータを持ってきて、「このリゾート地の広さは　約14ヘクタールです」のイメージが浮かぶようにしてみます。

「一辺が216メートルの東京ドームなら約3個分、25メートルプールなら約156個入る広さです」

プールが156個になると、逆に数が多すぎてわかりにくくなった気もします。でもそれだけ大きいと印象付けたり、ちょっと冗談めいて伝えて聞き手を飽きさせない、といった使い方もできそうです。

さらに、人が移動するときのイメージなら、こんなデータの引用もあります。

データ4：東京ドームの外周は約700メートル。
分速80メートルの速さで歩いたら、約9分。

「このリゾートの周りを分速80メートルで歩いたとして、およそ30分かかる大きさです。ちなみに駅から○分という不動産広告の表示の速さですね」

具体的な数字では意外とわかりにくいときには、知っているイメージできるものを引っ張ってくるなど最適なたとえをしてみます。伝えた数字は忘れてもイメージだけは強く印象に残ることでしょう。

まとめ

数字をイメージ化すると、サイズ感の輪郭がわかりやすい

データの母体を変える

しっかりした出元の数字は、確かな証拠提示になって信頼性が増します。せっかくのデータですから、それをさらに強めて、主張をパワフルにしてみましょう。

■（課題例）売り上げを提示し、パスタの売り上げの伸び率を際立たせる

たとえば、「総務省統計局のデータで、コロナの影響で食事代は約30％減、飲食代は約53％減です。つまり、外食が減った分で出費が抑えられているわけですね。その反面、家庭での飲食に金額をかけるようになっています。米や即席めん類がともに約15％増なのに対し、パスタの需要は約44％増です」と伝えるとします。

こんなふうに食事代の減少を示した上で、15％伸びた米やめん類を挙げ、その上で

パスタはさらに増えて44％と示すと、伸び率がより感じやすくなります。

引用したデータはそのままではなく「つまり、1・5倍も伸びています」や「パスタの販売伸び率は米や即席めんの約3倍です！」のように、言い方や母体を変えて提示するだけで、すっきりしてわかりやすくなります。

［引用データの言い換え例］

外食は減少。家庭で米や即席めん類が約15％増、パスタの需要は約44％増

パスタの消費量は44％増えている

←

1・5倍の伸び

←

米や即席めんの3倍！

あるいは、母体を少しずらしてみるだけで、持ってきたデータがグンと引き立つこ

ともあります。

たとえば、「小売り全体で44％増」だとして、もし母体を「家庭」だけにしたら55％増になるのであれば「家庭消費ではなんと55％増です」と母体をずらして、マーケットの伸び率を強調することも有効でしょう。

そのままデータを引用するだけでももちろん効果がありますが、さらにそのデータの母体をずらすことでより伝わりやすくする効果も狙えます。

まとめ

より数字の効果が強まる母体を選ぶ

数字を小さくしてイメージしやすくする

説明される数字が大きいほどイメージはつかみにくくなるものです。

ここでは聞き手にわかりやすくするために、パーセンテージを縮小して、イメージしやすい単位に応用してみましょう。

たとえば、だいぶ前に流行った「地球を100人の村にたとえた話」があります。世界の人口を100人の村に縮小して「多様性」や「貧富の格差」など人種や生活を表した文章で、インターネットを介して世界に広まっていきました。縮小して人口比を示すことで、ずいぶんと人数比率のイメージがしやすくなり、全体像を理解できるようになります。

では、当時のデータから引用してトラクターを販売するときのマーケットの可能性を伝える話をしてみましょう。


「世界には65億人の人がいますが、もしもそれを100人の村に縮めて作付け者のありかたを見てみるとどうなるでしょう。

100人のうち47人は農村に、53人は都市に住んでいます。

畑を耕し、家畜を育て、食べ物を作っている人は20人です。

20人のうち13人はトラクターで、7人は人の力で耕しています。

つまり、世界ではまだ20人中7人、3割以上の人たちに対してマーケット拡大の可能性があるわけです……」

これは、あらゆる規模のデータに応用が利きます。流行したお話としてではなく、この基本にある考え方を活用すること。こうして数字を小さくした形にして話すだけで、大きな数字データの割合が一目で理解できるようになります。

まとめ

大きな数字は、縮小して割合をくっきりさせる

レシピ2 数字を生かす引用レシピ

数 ①

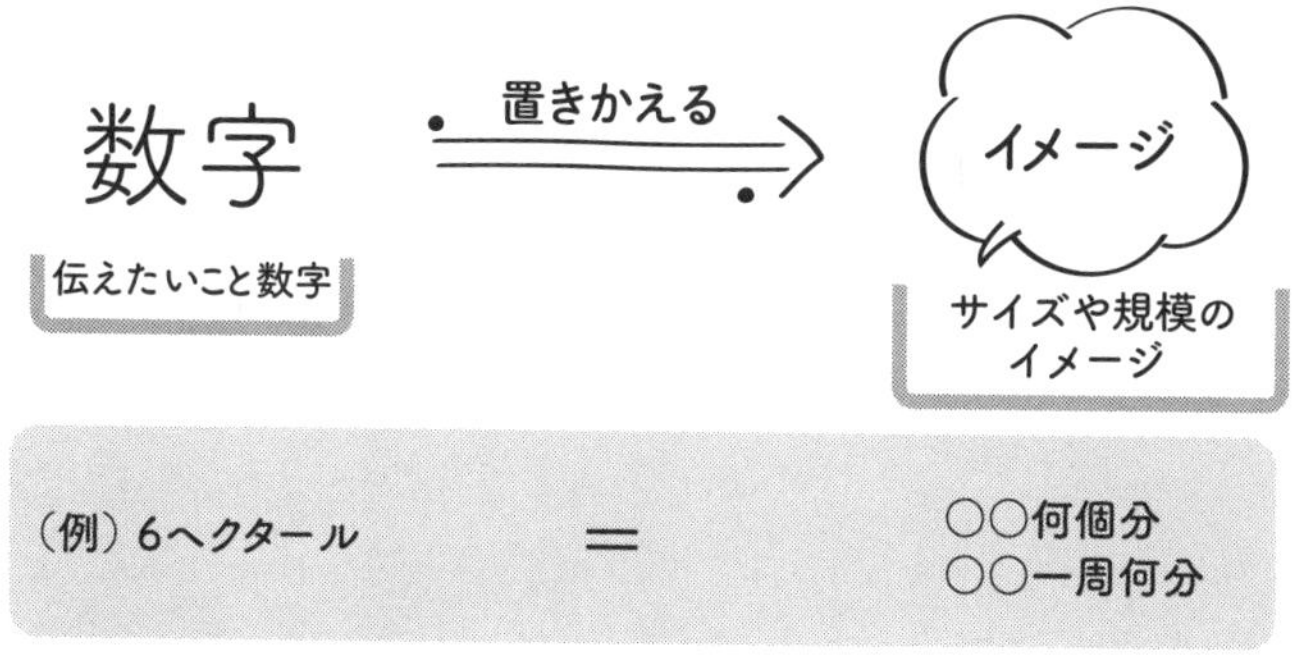

数 ②

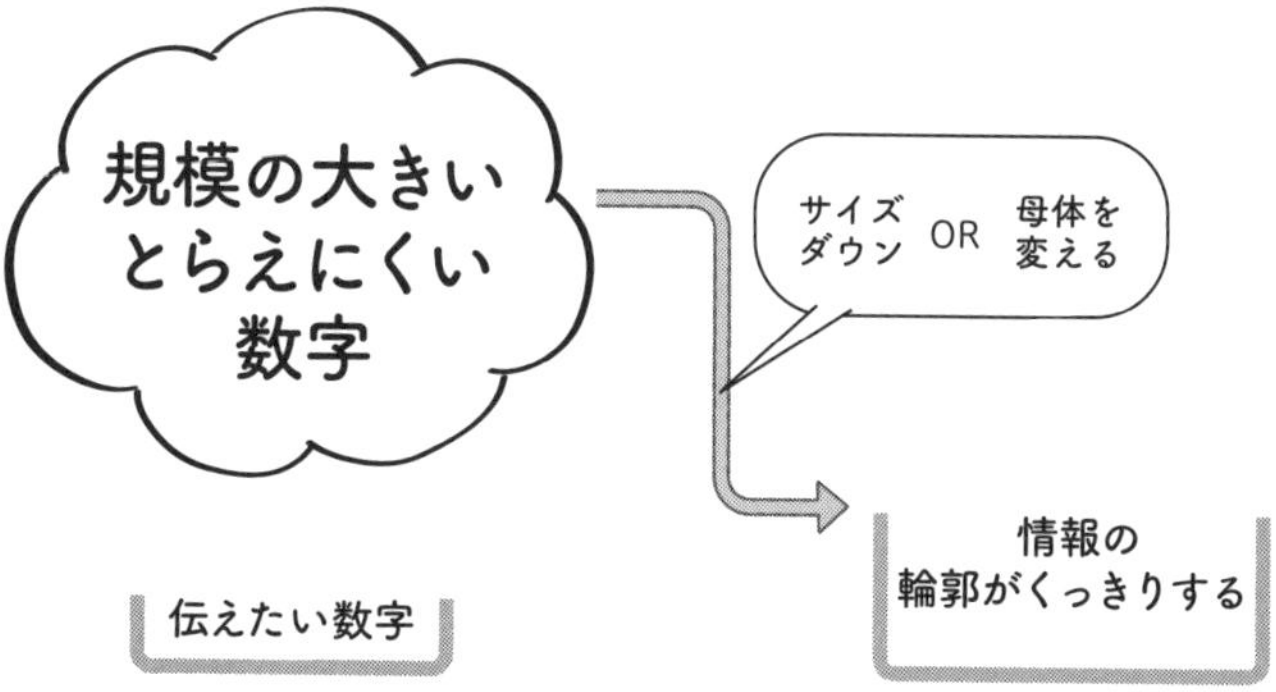

ポイントまとめ

「数字を生かす引用レシピ」のポイントまとめ

■知っているもので大きさを見せる

↓数字をイメージ化すると、サイズ感の輪郭がわかりやすい

■データの母体を変える

↓より数字の効果が強まる母体を選ぶ

■数字を小さくしてイメージしやすくする

↓大きな数字は、縮小して割合をくっきりさせる

レシピ3　信頼度を高める引用レシピ

達人や専門家の知恵を借りる

今度は、伝えたい内容の信頼度を高めるために、達人や先人の知恵を借りてみます。実績のある人の言葉を引用することで、自分の発言の下支えや根拠にもなり、伝えたい内容がより強く信頼されるようになります。

この使い方で生かしたいのが「誰が言ったか」「どこのデータか」です。

テレビではコメンテーターのほかに、その出来事やデータの専門家が登場します。たとえば、野球がテーマなら元プロ野球選手、犯罪なら警察関係者や弁護士、あるいは化学でノーベル賞受賞者が出たときには、化学分野の研究者など。

こうした専門家によるコメントは、詳しい情報を提供してくれる上に、経歴や背景から「この人が言うなら間違いない」と、内容への信頼性が高まるために起用されます。

しっかりした出元のデータを用いたり、「誰の言葉か」をはっきり伝えたりすることが、自分の主張を強固にサポートしてくれるわけですね。

「あの政治家の言葉」「あの経営者の」「あの人気番組で」……など、経験を積んだ人物が発する言葉や、多くの人が支持する媒体からの引用は、経験と実績に基づいた信用を生みます。経験の蓄積はまるでデータかのように事実を示してくれるもの。こうした信頼性が高まる話し方の基本構造は次のようなものです。

1　自分の主張を決める
2　伝えたい内容に関する分野の達者を見つける
（→←どちらからでも可能）
3　伝えたい内容をサポートする言葉を見つける
4　自分の主張の文脈に引用を入れ込む

まとめ

経験や実績のある人物の知恵で信頼度を高める

力強い言葉を添える

たとえば、プロジェクトを進めるにあたって、新しいことへの挑戦や変更・変化にしり込みしているメンバーがいて、その人にやる気を出させたいとします。組み立てるためにすべきことは次の通りです。

■（課題例）新しいことへの挑戦を促し、変化に順応させる

伝えたい内容は、次のように変化に臨機応変に対応し、やる気を保つこと。

「まずはしっかり調査して、実行可能な計画を立てます。それでも、プロジェクトの過程は変化していくかもしれません。臨機応変に、現状に満足せずに、新しいことに果敢に挑戦していきましょう！」

ここに、たとえば誰もが知る力のある経営者のひと言を引用してみます。

「挑戦しない人は、成長できない。
挑戦することでこそ、自身の能力を開花させられる」

これは、トヨタ自動車の前社長(現会長)の豊田章男氏の言葉です。重みを感じられるのは、その経験や実績の裏付けがあるからこそ。その経験や知恵を借りて、次のように言葉にしてみます。

「あのトヨタの会長豊田章男氏も『挑戦しない人は、成長できない。挑戦することでこそ、自身の能力を開花させられる』と言っています。

挑戦し、成長して、みんなで新しいプロジェクトを成功させていきましょう!」

変革を嫌わず、企業を成長させた人物の経験や知恵を借りることで、より自分の主張がゆるぎなく響きます。

まとめ

心に響く言葉の下支えで、主張をゆるぎないものにする

言葉を発した人のパワーを借りる

続いてチームプロジェクトの事例です。ここではチームワークを大切にしていくことを伝えたいとします。

■（課題例）プロジェクトで、チームワークを大切にする

「プロジェクトの成功には、チームワークが欠かせません。メンバーが互いの知識や専門性を共有し、お互いの役割や責任を理解することで、チーム全体のパフォーマンスと結束力が高まります」

これだけで終わらせても十分な内容です。ただ、一般論としてよく聞かれるため、ありきたりな印象かもしれません。さらに、どこか人ごとのような感じもしそうです。そこで、ひと言引用を加えてみましょう。

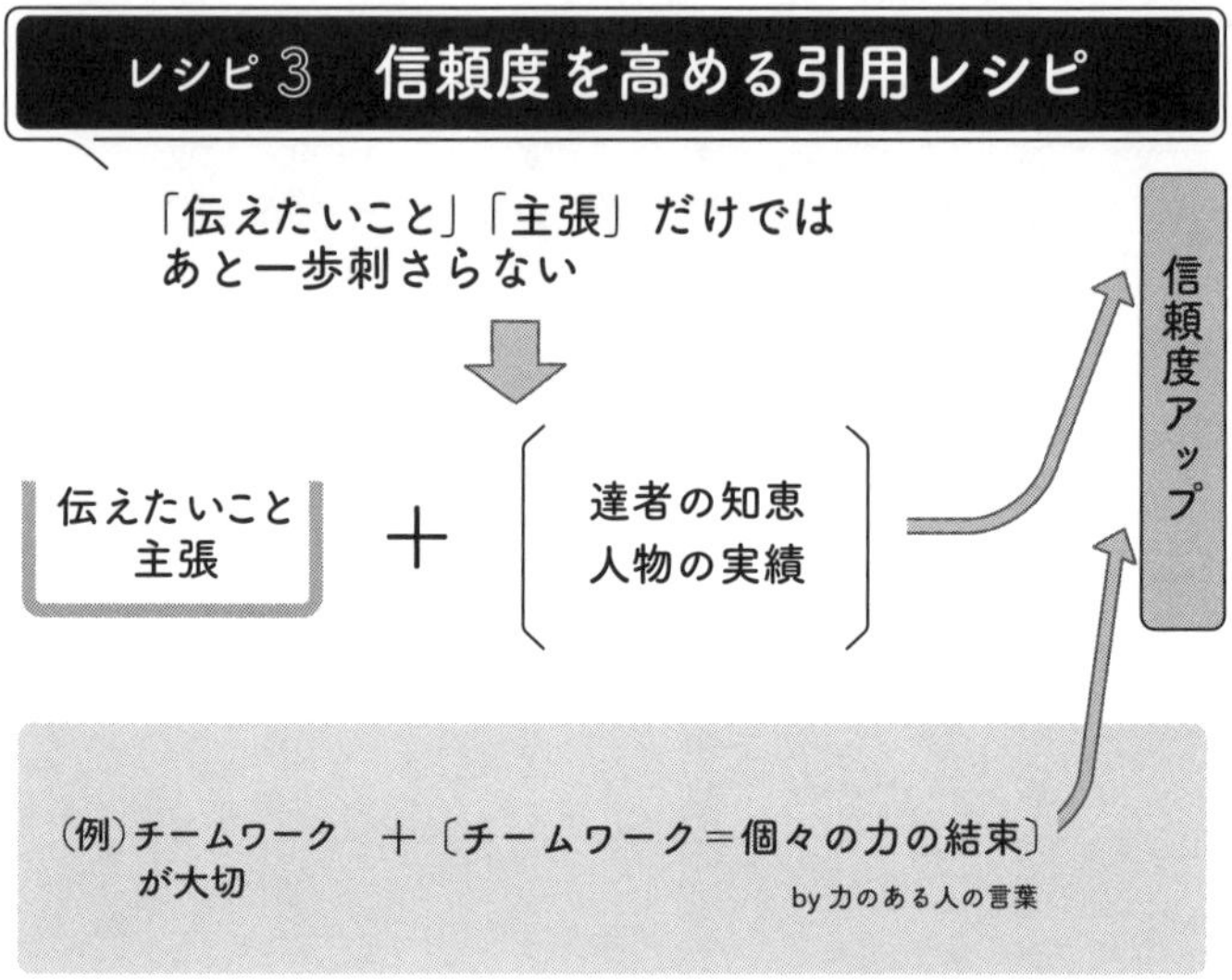

「ヴァージン・グループ創業者のリチャード・ブランソンは『チームが優れているためには、そのメンバーが個々の能力を最大限に活かし、お互いを尊重し合って協力することが必要だ』と言っていました。各人が力を発揮することが成功への鍵です。そのために……」

もしくは次の言葉ではいかがでしょう。

「『人間、優れた仕事をするためには、自分ひとりでやるよりも、他人の助けを借りるほうが良いものが出来ると悟ったとき、その人は偉大なる成長を遂げるのである』と、実業家のアンドリュー・カーネギーは語っています……」

このようなひと言を添えるだけで、主張に厚みがでます。ただこの言葉自体は特徴的ではないかもしれません。そこで、さらにわかりやすい言葉を足してみます。

「『ひとりでも成功できるかもしれない。だが、チームとなれば驚くほどのことができるものだ』とスティーブ・ジョブズはチームワークの重要性を説いていました。チームの力を信じて邁進しましょう！」

あるいは、ちょっと変化球で若手を鼓舞するには……、

「『お前の為《ため》にチームがあるんじゃねぇ。チームの為にお前がいるんだ!!』とスラムダンクの安西先生が語っているように、一人ひとりの力がチームを盛り立てるんだ……」

井上雄彦『ＳＬＡＭ ＤＵＮＫ　第22巻』（集英社）

企業を成長させてきた経営者たちの経験からくる洞察を踏まえたひと言や、人によっては身近な漫画からのひと言のパワーを借りて、自分の意見を武装することで、主張がより力を帯びていきます。

まとめ

言葉を発した人と言葉のパワーを借りて武装して力にする

ポイント
まとめ

「信頼度を高める引用レシピ」のポイントまとめ

■達人や専門家の知恵を借りる
↓経験や実績のある人物の知恵で信頼度を高める

■力強い言葉を添える
↓心に響く言葉の下支えで、主張をゆるぎないものにする

■言葉を発した人のパワーを借りる
↓言葉を発した人と言葉のパワーを借りて武装して力にする

レシピ4　パワフルにする引用レシピ

決定を促す強い言葉を加える

何かを強く勧めたり、相手に決断を迫ったりする場面があったとしましょう。特に交渉ごとや人を動かしたい場面では、言葉をより強くしてインパクトを与えたいところです。客観的なデータの提示に加えて、心が動くような引用をしたり、逆に否定をすることで主張を強めたりと、ちょっとした工夫をすることで、大きく印象を変えることができます。

特にビジネスの世界では上司や自社の経営陣、取引先などに納得してもらうことでお金が動き、意思決定がなされます。

レシピ4　パワフルにする引用レシピ

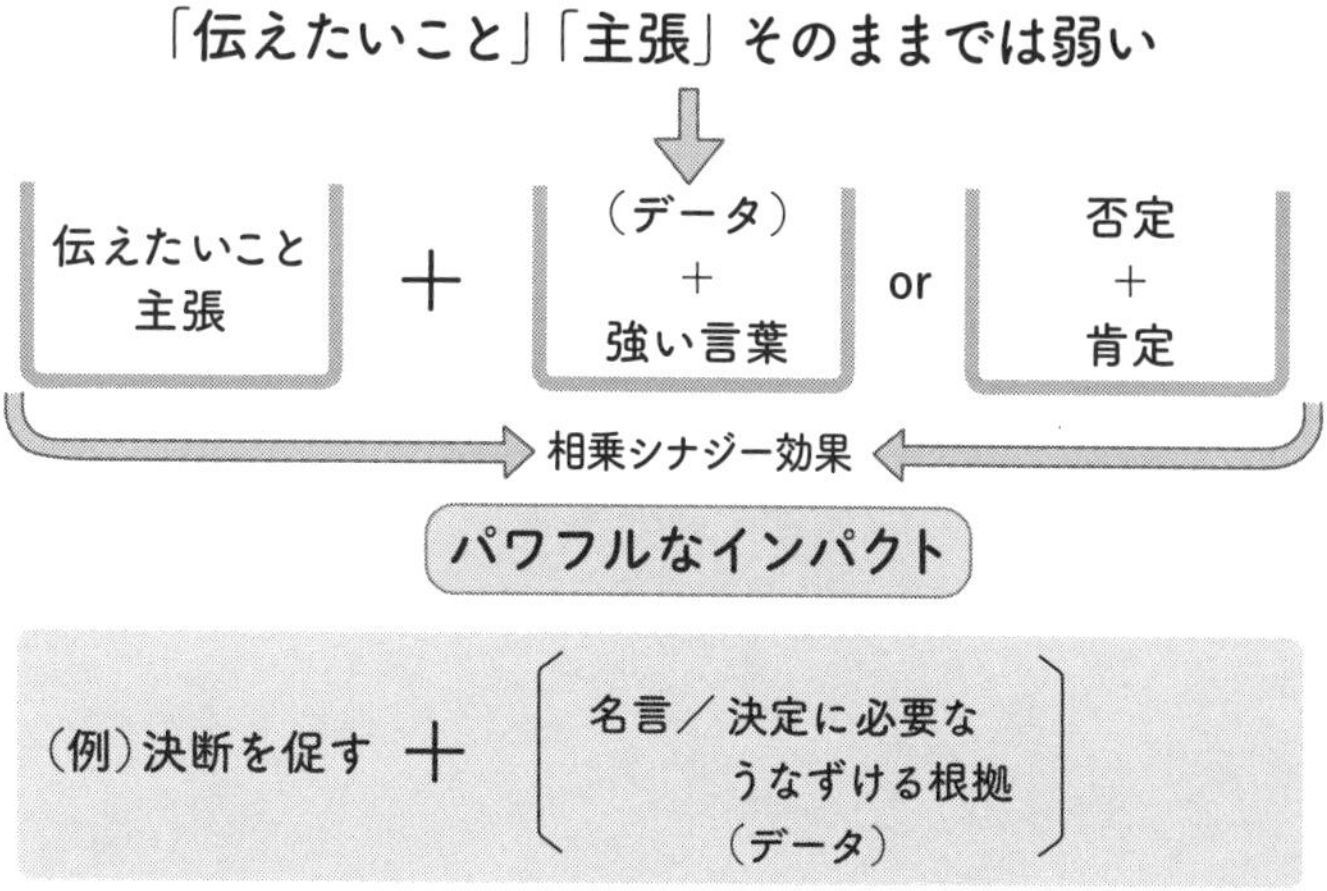

そこで大事なのは主張を強め、自分の思う方向に相手の意向を動かすことです。

シンプルなレシピをお伝えすれば、

「データ引用×名言の引用」

というかけ算がオススメ。

科学的データやファクトなど引用しつつ、さらに著名人の言葉を引用するわけです。

たとえば何かを販売したり、勧誘したりするときに「相手に決断をしてもらいたい」としましょう。あと一押し、何か決め手がほしい。

次の例を見てください。

■（課題例）決断を迫る

そこで、製品のスペックや科学的にとても優れている面を説明して、「さあ、いかがでしょうか」と言う際、その前にひと言、こんな言葉を引用してみます。

決断に必要なのは、誰でもうなずける科学的な根拠である。

実業家・本田技研工業の創業者　本田宗一郎

世界的な自動車、オートバイなどの輸送機器メーカーHONDAの創業者ですね。

この言葉を生かすとして客観的なデータを示せるときなら、次のような引用もひとつの方法でしょう。

「迷っていらっしゃいますか。あのHONDAの創業者・本田宗一郎さんも『決断に必要なのは、誰でもうなずける科学的な根拠である』と言っています。

ですので、こんなデータをご用意しました。こちらをご覧いただいて、決断の決定打にしていただければと思います」

決断を促す資料を出すにあたって、「さあ、これでどうでしょう」と決定打にしたくなるような言葉を付け加えてみました。

これでデータだけの提示以上に、そのデータの存在の意味が強くなります。たとえば購入とはまったく異なる、何かしら行動についての決断を迫るときにはこんな名言に変えてみるのもいいかと思います。

> 決断時における最善の選択は、正しいことをすること。
> 次に良いのは間違ったことをすることだ。
> 一番悪いのは、何もしないことである。
>
> アメリカ合衆国第26代大統領　セオドア・ルーズベルト

まとめ

決断を後押しするデータの存在意義を強める言葉を使う

背中を押す、突き抜けた言葉を加える

別の例で見ていきましょう。たとえば、仕事や勉強に身が入らない人に対して「もっとがんばってほしい」と思ったとします。どのように伝えると良いでしょうか。

■（課題例）仕事や勉強にやる気を出させる

まず、自分や誰かがどのようにがんばってきたかのエピソードで伝える「自己体験」を引用したり、誰かの名言を持ってきたりして印象を強める方法も考えられます。

たとえば、電話を発明したグラハム・ベルはこんな言葉を残しました。

今していることに、全神経を注ぎなさい。
太陽の光も、焦点があわないと発火させられない。

アレクサンダー・グラハム・ベル

音響に焦点をあてて研究を進め、世の中を変えるような熱量に変換したベルと太陽光の発火力。「集中を促す」の言葉を強めるには恰好の引用ではないでしょうか。

「物事をするときに、集中することだよ。集中はすごいパワーを生み出せる。電話を発明したグラハム・ベルは、こんなふうに言っている。『今していることに、全神経を注ぎなさい。太陽の光も、焦点があわないと発火させられない』発火させるほどに集中することが、大きなパワーになるんだ」

あるいは元プロ野球選手イチロー氏にこんな名言があります。

出る杭が打たれないためには、突き抜けよ。

メジャーリーグでシーズン最多安打の記録を保持するほどの力を付けた人物の言葉は、努力の大切さを伝え、力を与えてくれます。

これらは一例にすぎませんが、先述の通り引用内容は、相手の年齢、知識、ほか好きなものが漫画なのか、映画なのか、ビジネス書なのか、嗜好を把握して引用するとより効果が高くなります。

まとめ
突き抜けた言葉が、伝える内容をパワフルにする

「否定」で強める

あることを否定することで、主題を正当化するテクニックを使う引用です。

「そうでないほうがいい」と否定する理由やデータの引用をもとにして、「だからこちらにしよう」とすることで、自分の主張が強くなります。

ここでは、趣を変えて恋愛をテーマに考えてみましょう。この話の目標は、失恋した人の今の状態を「否定」する言葉で慰めることとします。

■（課題例）否定する言葉で失恋を慰める

エピソードを用いてやんわり否定して、ここでは「時間が経ったら、たいしたことなかったと忘れられる」と諦めさせるように伝えます。

たとえば、こんな順番で話を組み立ててみます。

1．別れたほうがいい理由（付き合いを否定する）
2．別れてよかった、もっといい人がいるよ（別れを肯定する）

さて、どう話してみましょうか。次のように引用をしながら伝えてみるとします。

「幸福の追求で恋愛にこだわったスタンダールって作家がいるだろう？　その人が『恋愛論』で書いた〝ザルツブルクの小枝〟にたとえた〝愛の結晶作用〟って聞いたことあるんだけど。
塩を採集していた坑道の奥深くに、木の枝を投げ込むんだ。それを少ししてから引き出すとさ、枯れ枝にキラキラと輝く〝塩〟の結晶が付いているって話。

恋愛の初期にはそれと同じ結晶作用が起こって、恋愛感情で好きになった人がキラキラにメッキされて、美しく見えるってことだよ。
で、動物の恋愛期間が2年だとするなら……そこでメッキがはがれ落ちる。今はまだキラキラだっただけ。やがてメッキがはがれるから、その前に別れたほうが、いい思い出だけが残ってよかったんだよ」

この例で伝えたことをまとめると、次の通りになります。

・付き合いを否定する　やがてメッキがはがれる
・別れを肯定する　その前に別れていい思い出が残る

先ほどのようにチームワークの大切さを伝える場合も同様で、否定で強める方法は、あらゆる場面で生かせます。

まとめ

否定することで、伝えたいことを強めて肯定する

本質が同じ言葉のシナジー効果を使う

引き続き失恋を慰めるとしたら、いろんなキーワードが登場します。「忘れろ」「次の人」「悲しみ」など。

恋愛からの引用ばかりが有効とは限りません。

まったく違うことを言っているように見えて、本質的に同じことを言っていたり、根底に流れるテーマが同じだったり……と、少し視野を広げるとたくさんの言葉があがってくることでしょう。

■忘れる

> 幸せとは、健康で記憶力が悪いことである。
>
> 医師　アルベルト・シュバイツァー

■次へ

過去を支配できる人が、未来を支配する
今を支配できれば、過去が支配できる。

作家　ジョージ・オーウェル

昨日は今日の記憶にすぎないが、
明日は今日の夢である。

作家　カリール・ジブラーン

■悲しみ

苦しみは、どんな教訓よりも強烈だ。
かつて心がどんなふうだったかを理解する役に立つ。
私は折れ曲がり壊れたが、より良い形への変形だったと願いたい。

作家　チャールズ・ディケンズ

こうした言葉や事象同士の相乗作用を狙うのがシナジー効果。たとえば、こんな記憶にまつわる異なった言葉を複数引用しても、力を発揮してくれそうです。


「ノーベル平和賞を受賞した医師のアルベルト・シュバイツァーも、こんなふうに言っているよ。

『幸せとは、健康で記憶力が悪いことである』

いつまでも引きずるよりも、忘れてしまえたら幸せになれる。忘れることは、ときに健康的。幸せをもたらしてくれるんだ。

『過去を支配できる人が、未来を支配する。

今を支配できれば、過去が支配できる』

心を整理すれば、この先いいことが出てくるってことだよ」


これも一例で、何がハマるかはその人次第です。でも、少しでも元気になれるような言葉を選んで〝贈ってあげる〟〝応援する〟気持ちで言葉を選ぶことが、この場合の要かもしれません。

シナジー効果は、もちろん恋愛以外のあらゆる場面で、いろんな側面を捉えることで得られます。たとえば、西洋のことわざにこんなものがあります。

「空腹は最高のソースだ」

これを違った視点で応用するなら、たとえばこんな伝え方もあります。

「空腹は最高のソース。つまり腹が減った状態＝必要なとき。タイミングを見計らって与えることで、同じものがより効果を発揮する」

こんなふうに、違うものを持ってきたとしても、本来の内容と相まって効果を生み出すことができるのです。

まとめ

一見違う言葉もその本質を見極めて、効果的に生かす

ポイントまとめ

「パワフルにする引用レシピ」のポイントまとめ

■決定を促す強い言葉を加える

↓決断を後押しするデータの存在意義を強める言葉を使う

■背中を押す、突き抜けた言葉を加える

↓突き抜けた言葉が、伝える内容をパワフルにする

■「否定」で強める

↓否定することで、伝えたいことを強めて肯定する

■本質が同じ言葉のシナジー効果を使う

↓一見違う言葉もその本質を見極めて、効果的に生かす

レシピ5　シンプルに刺さる引用レシピ

短くシャープな言葉を選ぶ

短く、シンプルで、それでいてインパクトが大きく、これ以上かみ砕けない核心をついた言葉があります。そんな言葉を引用することで、言いたいことがよりスパッと聞き手に刺さるようになります。また長い話も余分をそぎ落とすことで、スッキリとキャッチコピーのような印象が残る言葉に変わるものです。

誰でもすぐに浮かぶインパクトのある言葉で、有名なものがたくさんあります。特徴は短く、覚えやすく、意味がすぐにわかること。どこか語呂がよく、端的に深い意味を含みます。

レシピ5　シンプルに刺さる引用レシピ

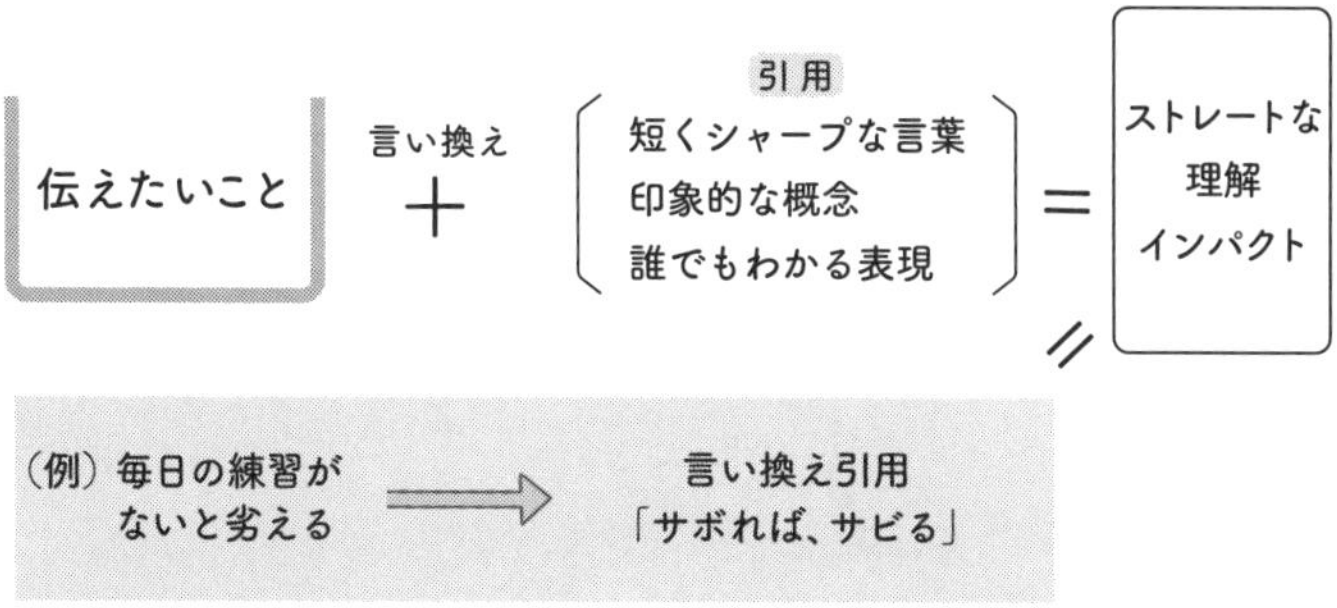

例としては次の4つが挙げられます。

1．スパッと刺さる短さ
2．一瞬で記憶に残る深さ
3．今までと違う概念や伝え方
4．意味が凝縮された濃さ

こうした言葉を引用することで、長い話もピリッと引き締まり、さらにはそのひと言がすべてを言い表してくれさえします。コツは、自分の言いたいこと全体を、シャープに言い表してくれている言葉を見つけること。たとえばその引用がすべてを凝縮してくれていれば、最後にその言葉で締めれば印象が強く残ります。

変革せよ。変革を迫られる前に。

ゼネラル・エレクトリック社元CEO　ジャック・ウェルチ

人生は大なる戦場である。

島崎藤村『緑葉集』

短く、シャープにとがって含蓄《がんちく》があり、口にしたくなるような、それでいて印象強い言葉。言葉の印象は、自分の主張をパワフルにして、心に響く印象を与えることにもつながります。

もう少し文脈がある言葉なら、次のような例もあります。見た瞬間というよりも、少しだけ読む感じになりますが、それでも短いフレーズで含蓄があります。

大切なのは、変化できるかどうかではない。十分な速さで変化しているかだ。

ドイツ第8代首相　アンジェラ・メルケル

人生とは、自分を見つけることではない。自分を創りあげることだ。
作家　ジョージ・バーナード・ショー

少ない言葉で思想が伝わってきます。わかりやすく、腑に落ちて、エネルギーを感じさせ、人を動かす力のある言葉です。

次は漫画『キングダム』（集英社）より。こちらも深い言葉ながら、少し説明が必要な部類です。

どれも人の持つ正しい感情からの行動だ、だから堂々巡りとなる。
原泰久『キングダム　39巻』（集英社）

主人公・政の最大の敵、悪役の呂不韋《りょふい》の言葉。実は悪役なりに自身の正義感からの行動だとわかるセリフです。「誰にとっても大儀はあり、その立場によって善悪は決まる」といったところですが、説明を加えることで生かせる名言の一例です。

こうしたシャープな言葉は生かしやすいので、たくさん使えるようにしておくことがお勧めです。6章の名言集も参考にしてみてください。

まとめ

短く覚えやすく、語感よく、端的に深い意味を含む言葉を生かす

印象に残る概念を生かす

インパクトのある言葉は、説明をしなくても十分に含む意味が伝わってきたり、その言葉を受け取った人がそれぞれに解釈できたりするような幅を持ちます。

香気と見える人々も、心の底を叩いてみると、どこか悲しい音がする。

夏目漱石『吾輩は猫である』

どんなに平穏で幸せに見える人にも、必ず何かしら憂うことはあるというニュアンスを猫に語らせているので、どこか冷めて人間を眺められるのが、おもしろいところです。漱石からの引用としてこの言葉を投げると、ますますなるほどと腑に落ちるのではないでしょうか。

こうした言葉で言い切り、その余韻に浸れるようなタイミングで引用できたらインパクトを与えて、印象に残ります。

ちょっと違った使い方として、こんな方法もあります。

あたしって、世界でたったひとつの花なの。

サン＝テグジュペリ『星の王子さま』

世界でたったひとつの花といえば、槇原敬之氏が作詞作曲した元ＳＭＡＰの歌が浮かぶことでしょう。

でも、これは『星の王子さま』に出てくる、星に咲いていたバラを想う場面の一節です。実はこのバラは、サン＝テグジュペリの奥さんがモチーフだとか。誰もが知っているのに、あまり知られていない出典や発言者。こんなことも、印象を残すひとつです。

明日死ぬかのように生き、
永遠に生きるかのように学びなさい。

政治指導者　マハトマ・ガンジー

よくある「明日死ぬかもしれない」といった名言です。そこに「永遠に生きるかのように学びなさい」が加わることで、生きるための術としてハッとさせられます。言葉から受けるインパクトは、そのときどきで自分の中でも変わるもの。あんなに心が動いたのにそうでもなくなったときは、きっと自分が変わったとき。それでも誰かの心には響きます。よく言葉を吟味してみると、普遍性があるものか、自分の今の心情なのかの見分けがつけられるかと思います。

まとめ

言葉の解釈、概念、背景を生かしてハッとさせる

そぎ落としてシャープにする

難しく、わかりにくい言葉や、少し長い文章、会話の一部などの引用のときには、なるべく短く、わかりやすく、かつ具体的な表現で、言いたい内容をギュッと絞り出しましょう。濃縮したエキスのような言葉にすると、いっそうその言葉が効果を発揮してくれます。

たとえば、映画監督で芸人の北野武さんのインタビュー記事に、こんな言葉がありました。

生きていくことは苦しいことで、おまけとして楽しいことがたまにある。ただ、普通に生活している中で苦しい苦しいなんていちいち思ってないけどね。

この言っている内容はそのままで少しそぎ落としてシンプルにするだけで、言葉が目にも心にスッと入ってくる名言になります。

生きていくのは苦しいことで、おまけとして楽しいことがある。

長めの文章を、たとえば本や広告の見出しやキャッチコピーのように短く本質を際立たせる。そのやり方は簡単です。

1．発言の「本質の言葉」を取り出し、余分を削る
2．ワンフレーズの見出し風にまとめる

こうすると長い文章からでも、本質をついた名言が生み出せます。記事の見出しや広告のキャッチコピーを参考にすると、まとめやすいかもしれません。

次の例では、悩みながらも自らの改善を働きかける友人や部下などに、助言をするとします。自分ならどんなふうに伝えるか思い浮かべてみてください。

■（課題例）自分から動いて、物事を変えていくよう伝える

たとえば、「まずは自分なりの企画を立ててみること。いつか自分に番が回ってくるだろうと待っていても声がかかるとは限らない」といった内容を伝えるとします。

そこに一例として、こんな短めな文章の名言を持ってくるのはどうでしょう。

人はいつだって「時間が物事を変える」と言うが、実際はあなた自身が変えなければならない。

アーティスト　アンディ・ウォーホール

人間は3種類。物事を起こす人。物事が起こるのを眺めている人。「何が起こったの？」と聞く人。

ジャーナリスト　アン・ランダース

そして自分の言葉で「だったら、物事を自分で変える人、起こす人になるほうがいいだろう？」と伝えてみる。

こうして名言もデータもサッと違和感なく使うことができるように、毎日の中で引用できる言葉を気にしておきましょう。

まとめ

言葉をシャープにすることで、より刺さる伝わり方になる

端的な表現で、説明をわかりやすくする

南アフリカで弁護士をしながら公民権運動に参加し、のちにイギリスからのインド独立運動を指揮したマハトマ・ガンジーはこんな言葉を残しました。

目的を見つけよ。手段はあとからついてくる。

政治指導者　マハトマ・ガンジー

活動の目的があるなら、それを達成するまでにすべきことや手段は自ずとあとから見えてくる。そんなことを、端的にズバッと伝えています。

長く説明をしてしまいがちなことを、こうした名言でシャープにまとめあげることで、聞き手の腑に落ちやすくなります。

■（課題例）真面目に取り組み続け、練習は大切だと伝える

たとえばスポーツほか日々技術を磨く鍛錬が必要だと伝える場面があるとします。

「1年ぶりにスキー場に行くと、すっかり滑り方を忘れていて、午後には少し戻り、3日後にはだいぶ感覚が戻ってきます。ダンサーが1日休むと体を戻すのに3日かかり、3日休めば1週間かかるんだそうです」

チームメンバーにがんばるように言いたいとき、続けないと戻すのが大変だと例を挙げて伝えたあとに、こんな一言を添えると、ピリッと効果がありそうです。

サボれば、サビる。

女優　ヘレン・ヘイズ

これ以上かみ砕くことができない、ひと言でわかりやすくサッと理解できる言葉です。あるいは、こんなひと言も古い味わいがあります。

玉は磨かなければ光らない。

随筆家　白洲正子

こちらは比喩的ではありますが、それでも技術を磨き続けることを伝えるには、十分に端的な言葉です。ひと言にギュッと濃く意味が込められた言葉を添えるだけで、伝えたい内容がわかりやすく、さらに深く伝わっていきます。

まとめ

これ以上かみ砕けない言葉で、短く、濃く、わかりやすく伝える

専門用語を使わないで言い換える

自分の専門分野の言葉は、日常の中で当たり前のように使っていることでしょう。ところが、一歩業界や仲間内から出たときに、周りには一向に通じない経験がある方も多いのではないでしょうか。

ITプログラマー、科学者、工業デザイナー、アーティスト……。さまざまな分野の人たちがひとつのプロジェクトにたずさわって、お互いに自分の専門用語を駆使して話し合いをしたら……大変に混沌とした状態になるのは目に見えそうですね。

お互いが理解するためには、専門用語を使わずに、平易な言葉を選ぶこと。イメージが浮かぶものを引っ張ってきて、たとえや引用を駆使して説明してみると、理解が深まることでしょう。

■（課題例）分野を超えてプロジェクトに取り組む

たとえば科学者が、パビリオンで一般の人に遊びで見せる機器の制作で、スタッフに説明をするとしましょう。2つの言い方を比べてみます。

A　この機器で見せるのは、分子間相互作用です。

↓

B　この機器では、分子同士が形はそのままに、互いに引き合ってくっつこうとする側面を見せます。遊んでいた子ども同士が仲良く肩を組むようなイメージで、分子は互いに変化はしないです。

伝わりづらく少し難解なAの専門用語を、Bではイメージが浮かぶように身近な物事になぞらえて言葉にして説明しています。

たとえば、プレゼン相手の担当者にプログラミングの話は通じて理解しあえたとしても、同席した重役の方々の専門分野は営業や宣伝で、話がちんぷんかんぷんという可能性だってありえます。

引用するデータも言葉も専門的すぎるものは簡易な数字にしたり、「たとえばこんなもの」とイメージ化して引っ張ってきたりすることが好ましいです。

そのとき、子どもなど、その話を一番理解できなさそうな人に用語や話のレベルを合わせてみるとわかりやすくなります。

アインシュタインの言葉にこんなものがあります。

6歳の子どもに説明できなければ、本当に理解したとはいえない。

本当に6歳の子どもに説明をするわけではなく、しっかり理解しているならば、6歳の子どもですら理解できるほどにかみ砕いて説明できるというわけです。

せっかくの専門家の話ではありますが、専門用語は専門家同士だけで使う。そして話の専門性さえゆるがなければ用語を使わず、たとえたり、違うものに置き換えてみましょう。これだけで、聞き手は自分にも理解できること、身の回りの「自分事」として捉えてくれるはずです。

まとめ

聞き手に理解できる言葉で、自分事として捉えてもらう

ポイントまとめ

「シンプルに刺さる引用レシピ」のポイントまとめ

■短くシャープな言葉を選ぶ
↓短く覚えやすく、語感がよく、端的に深い意味を含む言葉を生かす

■印象に残る概念を生かす
↓言葉の解釈、概念、背景を生かしてハッとさせる

■そぎ落としてシャープにする
↓言葉をシャープにすることで、より刺さる伝わり方になる

■端的な表現で、説明をわかりやすくする
↓これ以上かみ砕けない言葉で、短く、濃く、わかりやすく伝える

■専門用語を使わないで言い換える

↓聞き手に理解できる言葉で、自分事として捉えてもらう

NGな引用とは

できれば違う引用のほうがよかったと思うことはあっても、差別的であるなどの社会的な問題がなければ、絶対に引用してはいけない、避けたほうがいい言葉やデータはないように思います。特に、日常の会話や雑談、一般のレベルで使うものであれば、どんな言葉やエピソードでも上手に使えば生かせることでしょう。

ただ、その引用と伝えた内容の間に、相乗効果があるかどうかはしっかり見極めたいところです。

特に「話が刺さる」「印象に残る」という観点からは、その引用の仕方だとあまり効果的ではないこともあるかもしれません。絶対的な法則というよりも、さまざまな人の会話、スピーチなどを分析して得た傾向のひとつだと考えてください。

では、できれば避けたほうがいい言葉や引用を簡単に見ていきましょう。

NGな引用1「引用されすぎている言葉」

有名なフレーズやよく知られた名言など、引用するとグッと人を惹きつける言葉はたくさんあります。何度聞いても「なるほど」と納得でき、心に響くものでしょう。

ところが、同じ名言の引用でも、避けたほうがいい言葉もまた存在します。

第一のNGは、「引用されすぎてしまった言葉」。別の言い方をすれば、「流行ってしまった言葉」の引用です。

引用をするのは、自分の伝えたいことをパワフルにしてインパクトを与えたり、みんなの共感を得て支持してもらったりと、主張を押し上げてもらうことが大きな目的です。

ところが、流行りすぎてしまうとインパクトに欠けるようになり、何度も繰り返された言葉はどこか陳腐にすら聞こえてしまいます。

たとえば、前述のジョブズの「ハングリーであれ、愚かであれ」はいい言葉ですが、ある意味で有名になりすぎてしまいました。最初の頃に聞いたほどのインパクトはなく、聞き慣れた印象になってしまいそうです。

こうした周知の言葉やよく耳にした言葉を使うなら、ちょっとした前置きを入れておきましょう。

たとえば、「もう聞き飽きたかもしれません。でも、誰にとっても必要な精神だと思います」など、〝あくまでも、わかりきっている言葉である〟とひと言添えてみるのです。こうすることで、本人も承知の上でそれでもこの言葉が表す精神を伝えたいという印象に変えられます。

あるいは「あれは雑誌からの引用だった」とまだ知られていない背景を添えてみることで、また新鮮さを加えることができます。

一方で、誰もが共有している言葉だから効果的な場合もあります。その言葉がどれくらい知られているか、聞き手はその言葉を知っているかをイメージした上で、どの言葉を引用するのが最適なのか考える必要があるでしょう。

NGな引用2「関連性の低い言葉・事例」

どんなに魅力的な言葉でも、その話の流れの中に突拍子もなく登場してしまえば、滑稽にすらなってしまいます。

話の流れに沿った引用であることで、話に深みを持たせたり、より信頼度を増したり、さらに人を惹きつけることができます。

ただ、その話とまったく同じ内容である必要はなく、先述の通りテーマや伝えたい内容と引用の「根幹に流れる真理やテーマの共通点」を見つければいいわけです。

根底に共通点があっても唐突に聞こえそうなときには「一見関係なく見える話ですが、実はこんな共通点があります」といった前置きをするだけで、話からズレたり突飛な印象になったりすることは避けられます。

NGな引用3「主張や文脈と矛盾」

どんなにいい言葉や素晴らしいデータでも、それが自分の言いたいことをサポートせずに、矛盾してしまったら元も子もありません。

たとえば保険の販売をするとします。人生において計画を立てることがとても大切で、計画があってこそ目標は達成できる、といったテーマで話を進めていたとしましょう。

極端な例ながら、生涯設計があってこそ生活は安定し、その上に幸せな家庭が築ける……といった話をしたいときに、こんなふうに言ったらどうでしょう。

「計画とは未来の不確かさに対する幻想であり、人生は今を楽しむもの」

アーティストが煙草でもくゆらせて言ったら無頼派向けで、かっこいい名言ですね。

ところが、これで保険の生涯設計の話を締めくくったのなら印象は180度変わるでしょう。

では、次の言葉ではどうでしょうか。

> 地球が丸いのは、行く先を遠くまで見せないためだ。
>
> 映画『愛と哀しみの果て』（原作『アフリカの日々』アイザック・ディネーセン）

そしてこのように伝えます。

> 「アフリカの大地で生活をした作家が生んだ素敵な言葉です。不確かな未来、そこにわくわくする。ただ現実の世界では、だからこそ計画的に備えなければいけないわけですね」

このように「この引用は逆説なんです」と伝えたら、一見矛盾した言葉を生かせそうではないでしょうか。

これはあくまでも一例にすぎませんが、最後に「あれ？」と疑問を残すようなわかりにくい矛盾もありますので、伝えたい内容や文脈との相性をよく吟味して引用してみてください。

いろいろな引用元と引用の仕方がありますが、基本の鉄則は次の通りです。

〈引用の鉄則〉
1 伝えたい内容を、
2 伝えたい相手に向けて、
3 わかりやすく、
4 効果的に、
5 自分の言いたいことを強めるために。

どのような引用であっても、この基本の鉄則を意識していきましょう。

次章から具体的な引用の種類と、見つけ方についてご紹介していきます。

第3章

深みを作る「言葉・名言」を引用する方法

「引用」を使い分ける

引用が持つ2つの側面

「引用する」といったときに、引用にはこんな2つの側面も見られます。それは、

・多くの人が知っている言葉の「引用」
・知られていない言葉の「引用」

引用が上手な人は、この2つを使い分けています。同じ「引用」ではありながら、違う効果を引き出すことができるからでしょう。

「多くの人が知っている引用」というと、たとえばX（旧ツイッター）などにあふれている、ある情報を模倣して伝えていくネットミームが挙げられます。よく見かけるのが、人気の漫画のセリフの引用です。

たとえば、漫画『ワンピース』（集英社）には次のような人気のセリフがたくさん出てきます。

失われたものばかり数えるな。無いものはない。確認せい!!
お前に残っているものはなんじゃ!!。

尾田栄一郎『ワンピース　60巻』（集英社）

これはジンベエというキャラクターが、敵である海軍総大将たちに兄を討たれ、すべてを失い絶望していたルフィにかけた言葉として有名です。

こうした言葉をそのまま引用したり、少し加工してパロディにしたりして、自分の言いたいことを代弁させるわけですね。あるいは、「海賊王に俺はなる！」というセリフをもじって、自分の目標を「〇〇王に俺はなる！」といったふうに発信しているのも見かけます。

多くの人が知っている、見聞きしたことがある言葉は、引用だとわかることで安心感を与えたり、パロディとしてくすっと笑えたり、話が盛り上がったりと、聞いている人を話に巻き込み同調させる効果が期待できます。知っているからこそ、自分事としてその話に入り込めるわけですね。

ではもう一方の「知られていない言葉の引用」はどうでしょうか。

たとえば、最初に挙げたスティーブ・ジョブズの「ハングリーであれ、愚かであれ」。

スタンフォード大学の卒業祝辞を見たことがある人や、関連の記事を読んでいれば引用だとご存じだったかもしれません。

でも、ＣＭでも流れたあの言葉が実は引用だと知っていた人はそれほど多くなかったかと思います。そのため引用という認識は持たれることがないまま、ジョブズの名言として広がっていったわけです。

ほかにも、マニアックな小説のある一節、偉人のマイナーな名言といったものも、知られていない言葉の引用部類に入るでしょう。

多くの人が知らない引用は、引用した人の知識や話の引き出しの多さを感じさせます。さらにインパクトが強い言葉や事象なら、それに初めて触れることから、強い印象を残すことができるかもしれません。

いずれの引き出しを開けるときにも気にかけておきたいのは、前述したように聞き手の年齢・年代、共有する文化的背景によって、引用した内用の認知度は大きく変わってくるということ。

そこを意識しておくと、「知っている引用を使うか」「(おそらく)知らない引用を使うか」の使い分けができるようになります。

誰かの「知恵」を使いこなす

書籍・新聞・雑誌・論文の一節などの引用

ここからが第3章の本題です。「言葉・名言」をテーマに、どういった引用があり、どういった効果が得られるのかをご紹介していきます。

もっとも多く使われるのが、書籍や新聞、雑誌、論文の一節などからの「名言の引用」かもしれません。今はスマートフォンやパソコンでも紙媒体と同様の内容が読めるので、引用したい分野や人物や作品も検索しやすいかと思います。

「孔子の言葉に『〇〇〇』とある通り……」

「松下幸之助の『道をひらく』ですごくいい言葉があってね……」

こんなふうに使いこなせると、その言葉があなたの話に力を与えてくれるようになります。

特に、書籍といった活字メディアは使える言葉の宝庫です。

人生観や哲学がギュッと込められた短い言葉は、励みになったり、インスピレーションを与えてくれたり、ときに人生に大きな影響を及ぼすことすらあります。

たとえば名作とされる小説や古典文芸などには、時代を超えて色あせずに人の心に感銘を与える言葉がたくさんあります。もちろん、書籍よりも雑誌のインタビューのほうが自分の状況にぴたりとハマり、心を揺さぶられることもあるでしょう。

そのときの自分の状態や心象によって、心を動かされる言葉も変わってきます。「いい言葉だなぁ」と感じたときには、ぜひ記憶の引き出しで整理しておきましょう。

また第5章で紹介する「引用ノート」を作ってみるのもオススメです。

まずは各引用元となるメディアの特徴をご紹介していきます。

「新聞」から引用する

～時代や流行にも敏感な言葉が見つかる

紙媒体のいい面は、すぐに消えてしまわず手元に残ることです。立ち止まり吟味して、「ああ、いいなぁ」と味わい嚙みしめ、何度も反芻《はんすう》しながらメモに残しておけます。

新聞や雑誌ほかメディアには政治家やタレントから、隣の家の人、近所の市場の人々、学校の先生など、あらゆる人たちのインタビューが掲載されています。インタビュアーから引き出された何気ない受け答えが、実は生活に根差した名言の宝庫。公の場で、多くの人に向けた発言も見られながら、生活や実践に即した言葉もたくさん見つかります。

また、時代を反映し、流行にも敏感なのがこうした媒体の特徴のひとつでしょう。〝今〟を感じられる言葉が、文字で見られるわけですね。

あるとき日経新聞に掲載された元難民高等弁務官の故・緒方貞子さんのインタビューでは、「難民を助けるときに躊躇《ちゅうちょ》している余裕はない」と話していました。そのときに大切なこととして語った、「最後は理論ではない。一瞬のカンです」とのひと言に私は心を動かされました。この言葉も、「判断に迷う場面」で人に伝えるときに引用できそうです。

「今までの経験値がもたらしてくれる直感は、とてもいい指針になるものです。緒方貞子さんも、難民を避難させるために迷っている時間がないときに、積み重ねてきた経験を最大限に生かし『最後は理論ではない。一瞬のカンです』と語っていました。勘というのは、ただ感じたままに動くことではなく、今までの積み重ねが突き動かす感覚のことです……」

あくまでも一例ですが、こんなふうに名言を引用することで緒方貞子さんの実績と知恵が自分の考えの後ろ盾となり、主張がより堅固になっていきます。

「ビジネス書」から引用する

～組織・個人の仕事だけでなく人間関係、人生に切り込む言葉が見つかる

ビジネス書とひと言で言っても幅は広く、その種類はさまざまです。たとえば、名言が多く見られる例として、経営哲学や僧侶による生き方の説法のような書籍が挙げられます。

経営のプロの経験から生まれた気づきや哲学は、実績の裏付けもあって奥が深く、そのひと言に含蓄が感じられるものです。

ユニクロを展開するファーストリテイリングは、「服を変え、常識を変え、世界を変えていく」という経営理念を掲げています。シンプルで革新的なその製品とビジネススタイルを作った柳井正氏の本の広告には、その理念をひと言で言い表したこんな言葉があり、新しいことに挑戦し、世界を変えていく姿が凝縮されていました。

非常識は、達成した途端に常識になる。

ファーストリテイリング代表取締役会長兼社長　柳井正

この経営理念の〝改革〟という根幹を、今までの〝常識〟を壊す〝非常識〟と表現。〝非常識〟がうまくまわることで、誰にとっても当たり前の〝常識〟になっていくという哲理をひと言で言い表し、ドキッとさせられます。

ただ、このままで伝えるよりも、柳井氏の核心的な取り組みなどの言葉の背景を加えることで、さらに効果がアップします。なぜなら、この〝非常識〟が社会の規範を逸脱する意味ではなく、〝今までと違うことに挑戦する〟ことであり、それを成功させることで、それが「社会の当たり前」になることを言っているとわかるからです。

自分の言いたいことを、一角の人物の知恵を借りてバックアップしてもらう。そんな生かし方ができる一例です。

「人文書」から引用する
～より科学的で客観的なアプローチの言葉・ファクトが見つかる

人文書というジャンルは、主に哲学や思想、歴史、社会、教育、心理、宗教など多岐にわたり、社会科学などに分類されることもあります。

近年のベストセラーでいえば『サピエンス全史』(河出書房新社)、『生物と無生物のあいだ』(講談社)などがあり、少し前のものでは養老孟司氏の『バカの壁』(新潮社)などもその一冊に挙げられます。内容の種類も豊富で、書籍から新書まで形を問いません。

ビジネス書が著者個人の主観的な考えやこれまでの生き方、経験則を書いてあるものであるのに対し、より科学的で客観的アプローチや、歴史的事実を紐解くような内容が多いのが特徴といえるでしょう。

ただ哲学や思想などの分野では著者の思考がめぐらされているので、自分の考えをサポートするためにより生かしやすいかもしれません。

たとえば、1920年代を日本で過ごし、弓道を学んだオイゲン・ヘリゲルの『弓と禅』(福村出版)。弓聖とも称された弓の名手であり師の阿波研造とのやり取りや、その中での自分の気づきを言葉にしています。この本には、次のような一節があります。

> 達人への道は険しい。しばしば弟子には師匠を信じること以外、何も働いていないが、この信じることによって、今や初めて達人の何たるかが見えてくる。
>
> オイゲン・ヘリゲル著、魚住孝至訳『新訳 弓と禅』

神秘主義研究から禅(禅仏教)や弓への興味を持ち、師匠から無心や離脱といった精神性の高い概念を捉えようと、懸命に稽古に励んでいるときの一節です。

師匠と弟子のこうした上下関係は、今でも上司と部下、先生と生徒といった間に存在しますから、幅広い場面にあてはまり、引用に値する言葉になりえるでしょう。

「小説」から引用する

～作者が練った味わい深い言葉が多く、教養を表現できる

たとえば小説は、作家が思考して言葉を吟味して気持ちを託すので、個人的な世界観が反映されることも多く、味わい深く、気の利いた表現がたくさん見つかります。すぐに好きな言葉が浮かんだ方もいるかもしれません。

小説は、名言の宝庫。たとえば、誰でも知っている作家・夏目漱石の『草枕』には、こんな有名な一節があります。

智に働けば角が立つ。情に棹させば流される。意地を通せば窮屈だ。兎角に人の世は住みにくい。

これは、知識や道理で杓子定規に動けばうまくいかず、だからといって感情で動い

たのではなあなあになり、意地を通す人は生きにくいなど、世の中は誰でもどこか生きる難しさを感じるものだ、という語りです。

人生論のこの言葉は、多くの人が納得する世の在り方。文学の文言を覚えておいて、たとえばこんなふうに引用することもできるでしょう。

「これは漱石の小説『草枕』の一節。つまりさ、隣の芝生は青く見えたとしても、実は誰もが生きづらいと感じる仕組みになっているってことだよ」

ただ「誰でも大変なんだよ」と言うよりも含蓄がありつつ、小技のきいた言いまわしで、聞き手の興味を引くことができそうです。

有名な一節だとはいえ、どこで見た言葉だったかなど曖昧になっていることも多いので、出典までしっかり言えたら言葉の信頼度も増すことと思います。

「ことわざ・格言」を引用する

〜実生活や仕事にまつわる、鋭い視点と突飛な表現が見つかる

古くから庶民の暮らしの中で得た知識や教訓などを含んだ簡潔な言葉であったり、鋭い視点で事象をストーリー仕立てにしてひと言にまとめたものが「ことわざ」や「格言」です。

たとえば「二階から目薬」「猫をかぶる」「荒馬の轡《くつわ》は前から」などはご存じの日本のことわざですね。

少し前のTBSテレビの人気ドラマのタイトル『逃げるは恥だが役に立つ』も、もとはハンガリーのことわざで、「戦うことだけが勇気ではなく、的確な判断を」という意味合いでした。

中国の故事成語からは、よく知られた「蛇足」「呉越同舟」といった言葉が挙げられます。言葉から受ける印象はなんだか奇妙ですらあるものの、言葉そのものの奇妙

さから受ける「なんだろう」という印象は強く残ります。

こうした海外のあまり耳にしないことわざやストーリーがある格言なども、印象深く記憶に残せます。

欧州に「すべてはティーカップの中の嵐」ということわざがあります。

ティーカップの中に小さな船を浮かべてスプーンでかき混ぜたら、視点を移してみると、自分の船が大嵐の中で大惨事。でも周りから見れば、ただカップの中のお茶がかき回されているだけで、本当になんでもない出来事です。

たとえば大変なことが起こったあと、ふと落ち着いたときに、こんなふうに引用してみます。


「騒動のさなかにいたときには、世界の終わりかのように思いました。今落ち着いて考えると、イギリスのことわざにもあるように『すべてはティーカップの中の嵐』。

終わって客観的に自分を見てみると、そう慌てることでもなかったようです」

「演説・スピーチ」から引用する

～大衆の心を動かしたメッセージが見つかる

演説も名言の宝庫です。演説全体は知らなくても、名言部分だけが有名になっているものもたくさんあります。

リンカーンのゲティスバーグの演説の「人民の、人民による、人民のための政治」や、キング牧師の「私には夢がある」など。

そもそも演説は「人の心を動かし、行動を促す」ことを目的にしていることが多いため、その文脈は練りに練られ、人の感情を掻き立てるような言葉が選ばれています。

たとえば豊田章男前トヨタ自動車社長の母校の大学でのスピーチは、ユーモラスかつ人を突き動かす言葉があふれていました。

タイトルは「自分だけのドーナツを見つけよう」。

これは、夢中になれ、人生で喜びをもたらすものを自分で見つけることの大切さを、ユーモラスに好物のドーナツになぞらえたものでした。

勉強漬けでつまらない学生生活の中で唯一見つけた楽しみがドーナツであり、ドーナツがあったからこそ学生時代を乗り切れた、と語っていました。


ドーナツがこんなにも素晴らしく喜びになるなんて、思いもしませんでした。みなさんも自分だけのドーナツを見つけてください。夢中になれるものを見つけたら、手放さないでください。（中略）私にドーナツより大好きなものがあるとしたら、それは車です。


こうした特に有名な指導者やアイコンの言葉を切り出し、言葉のエッセンスを自分の主張に取り入れてサポートすることで、その人物の背景も含めて、より感銘を与える話の支えにすることができます。

もちろん、これらの映像・音声が記事化されれば活字の引用になるわけですが、映像そのものなら、本人の表情やニュアンスまで理解できます。

良いスピーチ、講演、演説などは映像があれば、ぜひそれにも目を通しましょう。

「名言集」から引用する

〜端的にいい言葉、有名な人物の名言が見つかる

名言を探すには、端的な言葉だけを集めた「名言集」などもあります。
たとえばエイブラハム・リンカーンの有名な言葉があります。

未来を予測する最良の方法は、未来を創ることだ。

でも、リンカーンの研究者たちの間では、この言葉はリンカーンが言った記録はなく、ある議員がリンカーンのものとして引用してしまった、としている一説もあります。つまり、引用元が定かではないわけですね。
同じような言葉を誰か別の人も言っていたり、あるいは誰かが引用した言葉がその引用した人の名言として歩き出したりとさまざまです。

いずれにしても含蓄のある言葉、忘れられないセリフは、それだけでも心に刺さるので「いい言葉」として大切にしたいものです。

本来の発言や文章の文脈の中で名言が見つけられたらこの上ないことですが、名言集からその出典を探しあてる方法もあるでしょう。ただ、日常的に簡単に使うのであれば、切り出されたいい言葉を、自分なりの解釈で割り切ってそのまま味わい使うのもひとつかもしれません。

いろんな人物の名言が掲載されているとき、エジソン、アインシュタイン……などであれば、ほとんどの人が誰のことかわかると思います。

それでも肩書で「あの発明家の」「相対性理論で有名な」……など、ひと言でその人物と実績を説明すると、「だからこの言葉か」とより合点がいくこともあります。

人はそうありたいと決心した分だけ、幸せになれるものだ。

こちらもリンカーンの名言です。

言葉が持つ力がある上に、偉大な大統領とされたゆえに重みが感じられ、得心《とくしん》できます。

言葉だけでも味わえますが、さらにその人物の背景を話に加えてみることで、その言葉に厚みが出ます。その人物に専門性や特性があるほどに、その言葉を発した意味も深く心に染み入ることでしょう。

「映画」から引用する

～セリフ、CMのコピーなどから強い引用ネタが見つかる

映画には心に残るセリフがたくさんあります。含蓄のある言葉、ストーリーの中で生み出される名言や、刹那的な発言に思えるからこそ、心に刺さることも多くあります。

たとえば人気映画のスター・ウォーズでシリーズに登場するジェダイ・マスターのヨーダには名言がたくさんあります。あの小さな緑色の宇宙人らしくかつ長老っぽく杖をついたキャラクターですね。『スター・ウォーズ　エピソード5／帝国の逆襲』に登場するのは、こんな名台詞。

「やるか、やらぬかだ。試しなどいらん」

ジェダイ戦士としての修行をするルークが刀のフォースの力だけで戦闘機を持ち上げるように言われて「やってみます」と曖昧な返事をすると、ヨーダが「やってみる」という中途半端な姿勢を否定して、「失敗しても、『やる』ことが大切だ」と教える場面でのセリフです。

これは、何かに取り組もうとする人への言葉として引用することができそうです。ただ、スター・ウォーズ好きには心に響いても、映画を見たことがない人にはなんのことかわからないかもしれません。ヨーダが長老で知恵を授ける立場であることを伝えると、より知恵の深みが感じられることでしょう。

名言として独り歩きしているために言葉そのものは知っていても、実は映画は見ていない、あるいは忘れていることも多いもの。そこで、前述のように、どんな場面かを説明するだけで、言葉の意味が引き立ってきます。映画のセリフは「その映画を見たことがない人が多いはず」と思って背景を説明した上で使えば、この言葉もさらに力が強くなります。

『幸せのちから』という映画では、ウィル・スミスが、ホームレスに落ちぶれながら、最後はビジネスで大成功を収めた実在の人物を演じています。

映画の中で、体が小さいのにバスケットボールが好きな息子に、「きっと人並以下に終わるから諦めたほうがいい……」と助言をしたあとすぐ、自分の言葉をくつがえし自戒の念を込めて言うのが、

「『お前にはできない』なんて誰にも言わせるな。パパにもだ。いいな。夢があったらそれを守り抜け。できない者は人の足を引っ張る。欲しいものがあったら、取りに行け」

息子に向かって、何があっても諦めない精神を伝えていました。

言葉が生まれた場面とその背景を伝えるだけで、人を鼓舞する力のある言葉に変わっていきます。そして97ページで前述したように、少し周りをそぎ落として大切な言葉が光るようにすると、より自分の伝えたいことをクリアにサポートしてくれます。

「『お前にはできない』なんて誰にも言わせるな」

これを誰かを鼓舞するときにストーリーの流れを含めて引用することで、伝えたい内容がより強く聞き手の記憶に残り、心に深く刻まれやすくなります。

第4章

心に残る「物語・エピソード」を引用する方法

雑談・プレゼンで使える「エピソード引用」

本章では、物語・エピソードを引用する方法について、ご紹介していきます。
物語・エピソードというのは、次のようなことです。

・自分が体験したこと
・他者が体験したこと
・成功・失敗体験
・メッセージが示唆された逸話
・たとえ話

こういった内容を話に織り交ぜることも、広義の引用です。

「最近、こんなことがあってさ……」

「昨日、びっくりしたんだけど……」

といった具合に、自分の体験談やエピソードを話す機会というのは、ほかの引用よりも圧倒的に多いでしょう。「話が苦手」という人でも、日常的な会話や雑談で話題を膨らませるために有効なのでお勧めです。

「物語の力」で相手を動かす

エピソードとは、物語や事件の大筋の間にはさむ、本筋からははずれたちょっとした小話や挿話のこと。

自分のことばかり話されても聞き手はつまらないですし、自分本位の話など誰も聞きたくないでしょう。でも、実際に体験した話や、その人の専門や得意な分野の話というのは、不思議と誰しもの興味を引くものです。

ちょっとした体験談は、聞き手を話に引き込むことができますし、今日の主題に結びつくような体験談やエピソード引用から入ると、話は盛り上がっていきます。

仮に、今日の主題が「寄付を集めること」だったとしましょう。

たとえばネットを見ているときに流れるCMで「今日は寄付をいただこうと思います」から始まったら、その場で次の映像に切り替えてしまいそうですよね。

ところが、次のような話だったらどうでしょうか。

「ひとりの少女がゴミの山で毎日ゴミ集めをして100円をもらっている。毎日100円の寄付で、あなたは世界の子どもを救えます」

「寄付をいただこうと思います」から始まるよりも、ずっと心を動かされたのではないでしょうか。

これがエピソード、物語のパワーです。

話をするときにも同様にしてみましょう。まず、こうした実際にある「体験・エピソード（物語）」から始め、次にどうしてほしいかを具体的に説明して「行動を促す」のがこの型です。

そして最後に、こうすることでどんな得ることがあるか「利点」を伝えます。ここでは、「100円で子どもが救える」ということですね。

その人にとっても何かしらの〝いいこと〟があるということに焦点をあててあげてください。

エピソードの引用は「使う順番」を意識する

エピソードや体験談から入って話に引き込んだ最後に、この話の要点にたどり着きます。先ほどのCMに当てはめるとわかりますが、話の組み立てをまとめるとこんな形です。

「体験談・エピソード引用」→「行動を促す」→「聞き手の利点」

大事なのは、「聞き手の利点」「促したい行動」を考えてから、逆算して物語を伝えることです。エピソードトークが持つ物語性で話に引き込み、そのあと促したい行動や、利点を具体的に伝えていくのです。

体験談やエピソードといった実例の引用は、人の心をつかみ動かすパワフルなフックです。最初から「買ってください」と入るよりも、「この製品が生まれたのは、こんなきっかけだったんです……」のように心をつかむ実話から始める。

誰でも簡単にできて、しかも効果的な引用術のひとつです。

ただし、日常会話やちょっとした雑談であれば、順番を意識しすぎるのではなく、エピソードを臨場感あふれるように伝えるだけでもいいと思います。

大事なのは、そのときの体験を描写するように話すこと。

漠然とした話ではなく、そのときの状況や、どんな場所で、誰と話をしていたら、その出来事が起こったのか……など、相手の頭に絵が浮かぶように、具体的に話してみると、より話がリアルでおもしろくなります。

「エピソード・物語」から引用する

自分が見聞きした「エピソード」が一番強い

エピソードは誰にでも簡単に見つけられ、聞き手を小話から大筋の話の中に引き込んでいく効果があります。

「そういえば、ちょっとおもしろい話があってね……」と話を始められたら、「何があったんだ?」と、この先の展開に好奇心が掻き立てられて、話を聞きたくなりますよね。話のフックとして、人の興味を惹きつけやすい内容でもあるわけです。

では、具体的なエピソード例を見ていきましょう。

■ エピソード1

「優先順位付けをする大切さ」を人に伝えたいときに、人の興味を引くようにたとえばこんなエピソードを持ち出してみます。


「こんな話を聞いたことありますか？

先生が生徒の前でガラスのビンを置き、ゴロゴロとした大きめの石を3つ入れました。もうその大きさの石が入る隙間はありません。

そして生徒に『これで満杯ですか？』と聞くと、
生徒は『はい』と答えます。

すると先生は先程より小さい石を取り出すと、隙間を埋めていきます。

また先生は『満杯ですか？』とたずねると、
生徒はまた『はい』と答えました。

次に、先生は砂利を取り出しビンの中に入れていきます。

今度こそ本当に石が入る隙間もないように見えます。

ところが、先生は最後に砂を入れました。ビンが本当に埋まっていきました」

これが伝えようとしていることは、「物事は無理に詰め込めば、実は入る隙間がある」ということではありません。

この話がおもしろいのはここからです。話を続けましょう。


「先生は、一度ビンの中身をすべて取り出し、最初に砂、2番目に砂利、3番目に小さめの石と逆の順番で入れていきます。そして、最後に大きめの石を入れようとしたとき、大きな石が入る隙間はありませんでした。

これが何を伝えたいのかというと、このビンは人生の器。

『大きな石』は、人生でとても大事なもの。自分や家族、友達など。

『小さな石』は、仕事や勉強、恋人など。

『砂利』は、車や趣味など。

『砂』は、重要ではない日々の小さなこと。

小さく些細などうでもいいことで人生を埋めてしまうと、あなたの本当に大切なものは入らない。

「人生は自分にとって大事なものから入れなければならない」


この逸話は有名なのでご存じの方も多いかもしれません。出典が曖昧で、聞き伝えで話が多少変わっていたりしますが、示唆するメッセージの本質は同じです。

ちょっと見聞きした話でも、そこにあるストーリーや事象に心を動かす深さがあれば、「こんな話を聞いた」でも十分に話に力を加えてくれます。

記憶に残るエピソード引用をするコツ

こうした納得感があり学びの深い小話は、とても使いやすく、さらにはネタが豊富に見つかります。ご自身で「これはおもしろい」「人に伝えたい」と言えるものをいくつかピックアップして、いつでも使えるようにしておきましょう。

エピソードを引用するポイントは次の2つです。

・短くわかりやすいこと

・驚きや納得感が得られること

1つ目のコツは、短くわかりやすいこと。

エピソード引用というのは、つい長くなりがちです。芸人や漫談家などの話のプロや話が得意な人であれば、どれだけ長くても人を惹きつけておけるかもしれません。でもたいていの場合、長い話は聞き手が飽きてしまいますし、内容もわかりにくくなります。

長くても1、2分くらいで、いろんな情報を入れすぎず、わかりやすく組み立てたエピソードを用意しておくといいかと思います。

ちなみに人気テレビ番組「人志松本のすべらない話」ではさまざまな芸人さんが自分の体験や人から聞いた話をおもしろおかしく話しますが、話の平均時間は3～4分だそうです。この長さで相手の興味を惹きつけ続けるのは、一般の人には少しハードルが高いかもしれません。

2つ目のコツは、驚きや納得感が得られること。

物語やエピソードは引き込む力が強いので、聞き手は「この話はどうなっていくのだろう」と興味を持って話を聞いてくれています。

そこで、予想外な驚きがあったり、「なるほど」と納得できたりするような話のオチがあることが大事なポイントとなります。

こうした点を意識してエピソード引用をすることで、より深く聞き手の記憶に残ることと思います。

では、もう少しエピソード例を見てみましょう。

■ **エピソード2**

次に、仕事では身なりを整えるようにと伝えたいとしましょう。

「仕事のときに服装や持ち物をきちんとしたほうが、信用してもらいやすく、実績をあげやすい」と言いたいときに、たとえばこんなふうに使ってみます。

「〝身なりが信頼性に与える影響〟がわかるこんな実験がある。
電話ボックスに10セントを残して、次の人が入ったら『私が置き忘れた』と戻るというもの。

労働者風の身なりで戻ると、ほとんど渡してもらえない。

ところが、きちんとしたスーツ姿で戻るとほとんどの人が渡してもらえた。

身なりを整えるだけで、人の信頼度はずいぶんと上がる実例だよ」


こうしたエピソードは、身の回りにあふれています。

テレビのバラエティ番組などで紹介されたもの、新聞や本に書かれた記事、ネットで流布されている話題、学者が実験を行った話、身の回りで起こった小さな出来事など。あらゆるエピソードをなんとなく気にとめて頭の中で整理しておくだけで、ちょっとしたときに引用できます。

■ エピソード3

あなたが、ワークライフバランスに働きかける商品のプレゼンをするとします。

「遊びも大切にしながら、仕事をこなすために生かせる製品」を紹介するとしたら、どんなふうに伝えるでしょうか。

たとえば、小説からの一節をエピソードにする方法がひとつ挙げられます。

「仕事をしながら、生活も楽しむことができたら最高ですね。
たとえば『アルケミスト』という小説にこんな場面があります。
主人公はスプーンに入った油をこぼさずに、部屋を回ってきなさいと告げられます。
こぼさないように油だけを見て、そろそろと歩いていく。
今度は同じところを、周りに目を配って歩くように言われる。
すると、そこにはなんと素晴らしい絵画が飾られている。
最後は、油をこぼさないようにしながら、絵画も楽しみ歩いて回る。
これが示唆することは、仕事と生活でも同じことではないでしょうか。
ひとつのことだけに意識を向けている裏で、何かを見落としている。
仕事をしながらも、人生を愉しむことを忘れてはいけないということです」

ここでは小説のセリフではなく、一場面をエピソードとして切り出してみました。伝える話とエピソードは、まったく同じ状況の設定や同じモチーフである必要はありません。

ポイントは、根底に流れるメッセージが同じであること。

わかりにくいときには「2つの話の共通のテーマ」について、たとえばここでは「ひとつのことだけに意識を向けていると、何かを見落とす」というメッセージだと伝えることで、「仕事をしながら、同時に人生を愉しむこと」の大切さについて語ることができるわけです。

名言として切り出されたスパッと切り込む名句は心に残るものです。

一方で、こんなふうにエピソード化して引用すると、場面も浮かび、ストーリーに引き込まれ、潤いのある伝え方になります。

失敗談と成功談のエピソードトーク

自分の「失敗談」はなぜ強いのか？

エピソードトークで引きが強いのが失敗談です。

特に自分の失敗談は、人を惹きつける力が強いものです。

自分が失敗した経験をあえておもしろく伝えることで、聞き手が「恥ずかしい話も話してくれた」と感じて、心理的な距離が近くなります。いわゆる「自己開示」効果です。こうして相手の気持ちをつかみ同調ムードを作り上げることで、人はあらゆる話に耳を傾けるようになり、その話に共感しやすくなっていきます。

失敗談の効果をまとめると、こんなところになります。

・同調ムードを作ることで、
・話し手を受け入れやすくなり、
・話に耳を傾けてくれ、
・話し手やその内容に共感しやすくなる

たとえば、自分が得意としている分野で成功するまでの過程や失敗談なども、人の興味を惹きつけるエピソードのひとつです。人前で話すときに加えて、相手と打ち解けたいときにも、ちょっとした失敗談を取り入れることで相手との距離が縮まりやすくなります。

成功した人の苦労話は話の旨味になる

自分の失敗談だけでなく、偉人や有名企業の経営者などの失敗談も、人を惹きつける物語になります。

「今がうまくいっていても、実はこんな苦労があった」という話は、人をストーリーに引き込む大きな力があり、話をおもしろくする旨味になるものです。

失敗があったからこその成功は、「そんな時期を乗り越えたのか」と聞き手の励みになり、さまざまな気づきにつながります。

成功した人ほど、失敗やうまくいかなかった時期のことを話すもの。失敗は成功した人にとってある意味の勲章であり、その成功までの過程は武勇伝。

たとえば、あのディズニーランドを作り上げたウォルト・ディズニーの初期のアニメーション制作会社は倒産しています。次の会社でもキャラクターの版権を争ったり、社員が引き抜かれたりと数々の困難を乗り越えなければなりません。やがて、ミッキーマウスをはじめとするキャラクターや映画で成功を収めていきました。

こんな不遇があった、でも乗り越えられる、という話は人に勇気を与えます。

「そんなの特別な人だからだよ」「海外の遠い昔の話じゃないか」と思われてしまいそうでしょうか……。

それならば、「町工場で宇宙ロケットの部品を作ることだってあれば、ひとりの職人の包丁が世界で名をはせることだってある」など、ほんの少し自分の手が届きそうな距離のエピソードを加えてみるのもいいかもしれません。

こういった身近なエピソードを選択すれば、相手を話に引き込むことができます。

あるいは自身の失敗談に学ぶ、というのもエピソード引用として興味深いものです。若い頃にした失敗、そこで起きた事件、学んだこと……およそこんなことを交えて話すだけで、ひと言「こうしたほうがいい」と言うよりも、ずっと骨身に染みる話になりそうです。

「成功談」は取り扱いに注意する

たとえば、アマゾンやフェイスブックの創業者の成功談であれば、どんなふうに今にいたったのか興味をもち、その苦労した時代を覗《のぞ》き見たくなりませんか？　成功するまでにどんな努力をしたのか、何かを学ぼうと耳を傾けてもらえそうです。

一方で、成功談は取り扱いが要注意のエピソードトークでもあります。自分自身の成功を延々と語られても、長い自慢話を聞かされている印象を与えるかもしれません。「自分の成功談」と「ある有名な経営者の成功談」では、聞き手の印象は大きく変わりますよね。

成功談で大事なのは、その過程を知りたくなる人物の話であったり、成功までの挫折が描かれたりと、興味がそそられるエピソードが織り交ぜられていることです。

たとえば、世界で初めて作られた抗生物質であるペニシリンの発見が偶然だったことは、ご存じの方も多いでしょう。

イギリスの細菌学者フレミングがブドウ球菌を培養していたときのこと。偶然に培養皿の中にアオカビが落ち、そのカビの周りだけ細菌の発育がとまりました。ここからカビの中には菌の成育を抑える成分があることがわかり、ペニシリンが発見されたとされています。

偶然から生まれた成功というのは、落ちたリンゴから万有引力を発見したアイザック・ニュートン（今ではこの話も疑問視されてはいますが）なども同様ですね。

共通するのは、実はずっとそのことを考え続け、実験を繰り返してきたことです。

こうした話はその過程がおもしろく、エピソード引用にもってこいです。

記憶しておいて、たとえばこんなふうに引用してみるのもひとつです。

「世界初の抗生物質ペニシリンは、たまたまブドウ球菌の培養皿にアオカビが落ちたことから、カビが細菌の発育をとどめる、と発見したんだそうです。

世の中何が起こるかわからない、千載一遇の巡り合い。

チャンスはふとしたことで訪れるもののようです。

ただ、そのチャンスに巡り合うためには、長い時間をかけてその問題に取り組んでいる場合が多いようです」

使い方は人それぞれ。聞き手や場面に合わせていろんな応用ができるでしょう。

「自己体験・他者体験」を使いこなす

先にも述べた通り、聞き手にとっては誰かの実体験は活き活きとした示唆に富み、教訓を含みおもしろいものです。

自分に強烈な印象を与えた場面や生活の背景には、聞き手の関心を惹きつける魅力が存在します。このときはできるだけ具体的な場面を提示してみましょう。

話がくどくならないようにする簡単な方法は、5W1Hを使うこと。記事を書くときの基本としても大切なこのルールは、必要な情報を伝えるために欠かせない要素です。話題の組み立て方5W1Hをここで簡単に復習してみましょう。

・いつ when

・どこで where
・誰が who
・何を what
・なぜ why
・どうやって How

話の始め方として「さっきここに来る途中で、こんなことがあったんです」のように、自分が体験したことからスタートすることがあります。ここに5W1Hの要素を組み込んで、その土地や聞き手に近い話を持ち込むわけです。すると自分の伝えたい内容もどこか遠くの話ではなく聞き手の生活に近づけることができます。

「自己体験」の使い方

たとえば、AIの未来性とそこに生まれる不安について語りたいとして、途中で寄ったラーメン屋さんで見かけた身近なAIでの出来事と感じたことを交えてみます。

■（課題例）ＡＩの未来と不安について語る

「ここに来る途中で立ち寄ったラーメン屋で、タッチスクリーンで注文をしました。すると、麺の硬さ、スープの濃さ、トッピングまですべてカスタマイズできるんですね。調味料も一緒にオーダーしたので、その場にはありません。

さらに驚いたのはなんと、前に来たときのデータも記憶しているんです。そのうち、ラーメンそのものも、ＡＩが好みで作ってくれたりしそうですよね。

ただ、私たちの生活に浸透しつつあるＡＩも、手放しで受け入れてばかりはいられなさそうです。

なぜなら、ここには店員さんも、ラーメンを作る調理人もいなくなるわけですから。

ラーメンを運んでくれたおばさんは『便利でしょ』と、おいしいラーメンを出してくれながら『でもさ、なんだか味気ないわよね』なんて話していましたが……」


最先端の技術に直接触れる前に、まずは日常の中で誰もが経験しうることに技術を落とし込み、そこから話に引き込んでいく。

こんなふうに経験を引用する方法もあります。

自分の経験を話すとき、もう一度それを体験しているかのように細部を話すとより効果的です。まるでその場にいるかのような臨場感を味わえるように詳細に伝えると、あなたの話に聞き手の興味がより強く惹きつけられるようになります。

今度は、冬装備をするためにタイヤ交換を呼び掛けるとしましょう。自分の体験をよりリアルに伝えることで、準備をしたほうがいいと実感してもらうこともできます。話を組み立てるには5W1Hがあると、より具体的で臨場感も出しやすくなります。

■（課題例）早期の冬装備の大切さを伝える

「私も冬の坂道で〝とんでもなく恐ろしい〟スリップをした経験があります。その日は、歴史的な寒波でした。雨でうっすら濡れて凍った上に少しの雪が舞い落ちて、風で道路の上を流されていました。いつもの家までの坂道だからと何も考えずに坂を下りていくと……ブレーキをかけたタイヤがそのまま坂を滑り降りて、止まることができません。あろうことか、坂の下では自転車で滑った人が道に倒れ込んでいます！

いくらブレーキを踏んでも止まらない！　ずるずると滑り、その人もなかなか起き上がらず、寸前まで車が滑り落ちて……間一髪の手前で車が止まってくれました。

一歩間違えば、人をひいてしまうところでした。なんのことはない毎日の道がこんな凶器になるとは思いもよりません。早めの冬準備は本当に大切なんだと実感しました」


自分が生活を通して、あるいは人生を通じて経験したことや学んだことは、活き活きと伝えられるため、思う以上におもしろく説得力が出るものです。それは付け焼刃で勉強したことより、ずっと耳を傾けていたくなる魅力的な話なのです。

そこに、ラーメン屋さんの場面のように少しの対話を盛り込むことで、たとえ専門的な話をするときですら、話は聞き手の生活と相まってさらに臨場感を帯びます。

伝えたい内容に即した体験談を加えると、より刺さる話になっていくのです。

「他者体験」の使い方

実際に自分が経験できたらこの上ないことですが、すべてを自分が経験することは難しいものです。誰かが実際に見聞きし経験したことは聞きかじりにすぎませんが、それでも本当の出来事であるほどに、やっぱりその体験談は生気あふれておもしろい話になります。

たとえば、物事の捉え方について、さまざまな視点があると伝えたいとします。そこに、こんな珍しい体験談を持ち込んでみます。

■(課題例)物事の捉え方の多様な視点について

「物事を見るときに、まるで逆の発想というものがあるものです。ある人がエジプトを旅したときに、夜の大通りには、テロの警戒でライフル銃を持った兵隊が10メートルおきに警備として立っていたそうです。私たちからすれば、ライフル銃を持った人がずっと一定間隔で並んでいるのは、とても恐ろしい光景ですよね。ライフル銃がそこかしこにあるわけですから。

ところがです。現地の人は「だから安心」と言っていたそうです。

なぜなら、ライフル銃を持って警備をして悪い輩から守ってくれている。だからこそ安心だというわけです」

「地球の裏側のアルゼンチンでは、草原のサラダと呼ばれるビタミンたっぷりのマテ茶を飲みます。日本のほうじ茶と緑茶の間のような、少し苦味のあるお茶で、古い時代のカップはヒョウタンをカットしたものだったそうです。

日本では急須や茶こしでこして、お茶をカップにそそぎますね。

でも、ここでは逆なんです。

カップに茶葉を入れて湯をそそぎ、鉄のストローをつきさして熱いお茶を飲むんです。

そして、なんと鉄のストローの先が茶こしになっているという発想。

同じことに対して違う視点で考える例のひとつです。

ガウチョと呼ばれるカウボーイたちが馬や馬車に乗りながら飲むこともあるそうで、ティーポットからお茶を注ぐより移動に向き、片付けがひとつ減ります。
私たちが当たり前だと思うことを疑って発想を逆転してみると、新たなアイデアが生まれてくるものかもしれません……」

ここでは、〝物事にはさまざまな視点がある〟ということを伝えるために、こうした経験談を持ち込むことで、ストーリーの流れから話に引き込んでみました。

誰かが経験しておもしろい、珍しい、こんなこともあるんだ！……と思ったら、すかさず記憶しておきましょう。厳密な話である必要も、細かい数字を覚えておく必要もありません。ただ全体像としてのお話を引用してくるだけ。

何かをたとえるときや言いたいことを強めたいときに、うまく記憶のネットワークをつなげてみることで、ずいぶんと話に広がりが出て興味深い内容になるはずです。

日常の中の名台詞

何気ない会話の中にも名言は隠れています。

日常の中にあるからこそ、自分が気づかずにドキッとさせられたような会話を少し見出し風にまとめるだけでも、だいぶ言葉が輝きを増してくれることでしょう。

ある日の新聞に、花屋さんのインタビューが掲載されていました。

毎日の仕事の内容や日々感じることが書かれており、「ふと立ち止まって花に目をやれるのは、心にゆとりがあるから。ゆとりがないときには、逆に無理してでもそんな時間を大切にしてほしい」と話していました。

ここから「ふと花を眺める時間が生む、心のゆとり」という見出しがついていました。

心にゆとりがあるときに眺める花と、ゆとりがないからこそ眺めることで生まれるゆとり。そんな哲学が感じられる言葉です。忙しく余裕がないと語る人に、

「ある花屋さんが、こんなふうに言っていたんだ。

『花を眺めるゆとりと、ゆとりがないからこそ花を眺めて生み出すゆとり』

雲や空、木々でもいいんだ。そうした日常の中にあるものにふと目をやるのは、ゆとりがあるからだけではなくて、そうすることでゆとりを生み出せるって。花屋さんの哲学だよね」


こんなふうにして長い文章を見出し風にすると、余分な言葉がそぎ落とされ要になる言葉が光るため、名言になりやすくなります。その人が言ったままの名言はもちろんですが、発した言葉の意味は変えずにとがらせてあげることもまた有効なのです。

第5章

「引用の引き出し」を作る習慣

「気にとめる」という習慣

ここでは、引用の引き出しを作り、増やしていくための習慣をお伝えします。

第一に「気にとめる」という習慣です。

まずは、必要な情報や言葉に敏感になって、自分の記憶にとどめていくことを意識しましょう。

漠然としているようですが、「気にとめる」というのは、思いのほか情報収集に効果を発揮するものです。

毎日の中には活字も音も映像も、情報があふれています。街を歩けば、さまざまな看板に宣伝キャッチフレーズ。大スクリーンの映像にはニュースもＣＭも流れてくるし、スマートフォンであれば、その場所にいるからこその情報が自然と入ってきます。

ふとしたときに「ほう」と気になる言葉や情報が飛び出してくるかもしれません。

ところがです。

日常的にたくさんのいい言葉や情報があっても、普段から「気にとめる」「見る・聞く」という意識を持っていないと、案外するりと流れていってしまいます。

読書でも、いわゆるアンテナを立てて意識的に読んでいないと、頭の中に残らないことも起こりえます。

隣を歩いていた友達が「このお店、さっきも支店があったよね」や「この飲料のポスター、さっき見たのと違う写真だね」といったときに、自分は気づかなかったという経験がある方もいることでしょう。たまたま他のものを見ていたのかもしれないし、何も意識していなかったのかもしれません。

何か目的があって探すわけではないときも、日々自分の琴線に触れる情報や言葉が集められるような感覚は、ぜひ研ぎ澄ませておきたいところです。

「気にすることを、気にしておく」だけで、ずいぶんといろんな言葉や情報が蓄積されていきます。

テーマを持って周りの情報を見る

何かを意識しだした途端、驚くほどそれにまつわる情報が入ってくるようになる経験はきっと誰でもあることでしょう。頭の中でもあれこれ考えるので、その見たものがつなぎ合わさって、新しいアイデアも生まれてくるなど相乗効果も期待できます。

私は子どもの頃に、「家に帰るまでにユニークな形をした『ニュー・ビートル』という車を、何台見つけられるかゲーム」をして遊んでいた時期があります。

今でも中古で人気があり、ミニカーにもなるようなちょっとかわいい車です。黄色ならラッキーになれるし、赤なら明日のドッチボールは自分のチームが勝つ、なんて験《げん》を担《かつ》ぎながら。

流行っている車ではありながら、見つけるとなるとかなり気にして歩いたものです。でも、黄色なんて珍しい色もちゃんと見つかりました。

ところが、そのゲームをやめた途端、パッタリとビートルを見かけなくなりました。急に台数が減ったのかというと、そうではありません。

それよりも、〝目に入らなくなった〟のでしょう。より正確には「目には入っても〝見てはいない〟状態」になってしまったようです。

同じように、自分が言葉や情報を集めようとしたときには、意識をして「見る」「聞く」ことが、とても大きな力を発揮するものです。

万有引力を発見したアイザック・ニュートンは、「どうして万有引力を発見することができたのか？」と聞かれたとき、「常にそれを考えることによってです」と答えたとされています。

レベルの違いはあっても、「気にとめるだけ」で、情報や言葉のほうから「ここにあるよ」と声掛けをしてくれるものなのです。

何か具体的に集めたい情報や言葉があるときは、この「ビートル探し」のように的を絞って気にとめるようにしてみてください。

テーマを持つことを習慣にする

脳は、自分が重要だと思っているものをフィルタリングして、認識していると言われています。

ですから自分が今どういうテーマ、目標、目的……を持っているかを意識することで、より自然にその情報を自分の中に取り込んでいけるようになります。

たとえば、炭酸飲料を意識するとします。

そこで気づくのは、街には自動販売機がたくさん並び、大きな看板やポスターが目につき、自転車のかごに捨てられた空き缶が入っていて……と、普段気にならなかったような情報や物があふれていること。

今まで見過ごしていたものに目がとまり、いつもなら目も行かない事象にふと出くわすことができます。

「プレゼンをする」「人前で話す」ならば、そのプレゼンのテーマに関わる情報を意識して街歩きをしてみます。

たとえば本屋さんに行ってみるとしましょう。

すると、本の帯にはたくさんの〝本を売るため〟に効果的な表現が並んでいます。それをヒントに引用できそうな言葉をピックアップする。あるいは、街の電子ヴィジョンに流れるニュースや映像にも何かいい情報があるかもしれません。

ただテレビをつけていても、意識をしていると、ふと情報が耳に飛び込んでくるようになります。

こうしてあらゆる情報を集めたり、本や雑誌を読んだり、スマートフォンを眺めたりして、気になった言葉やセリフはぜひ書きとめておきましょう。

インプット量を増やす

常日頃から、目に入るものを気にとめたり、テーマを持って周りを見てみる習慣を持つことは大切です。それ以上に大事なのが、「インプットの習慣」です。

ここまで紹介してきた通り、引用の多くは、新聞、書籍、小説、映画、インタビュー映像など、何かしらのメディアを通して見つかることが多いです。もちろん、人と話をしたり、他人から聞くエピソードも引用のストックになります。

・本を読む
・映画を見る
・インターネットで探す、調べる

・いろいろな人といろんなテーマで話す
・意識を持って街を歩く

……など、どんな方法でもかまいません。インプットの数に比例して引用のストック、引用する知識や教養は増えていきます。

特に本を中心とした活字メディアは、引用ネタの宝庫です。

一日に少しずつでも読書をする習慣があれば、毎日読書する習慣がない人に比べ、「言葉のデータベース」に大きな差が生まれます。

今なら通勤・通学中に眺めるスマートフォンでも、新聞や雑誌はもちろん、動画やテレビすら見ることができます。情報と言葉を自分の中にインプットする見方を意識をすれば、それは有意義な時間になるでしょう。

また、書物や映画をネタに人とのコミュニケーションをする機会が増えることで、エピソードなどのインプットの機会がまた増えていくようになります。

1日数分でもかまいません。インプットの時間を意識的に作ってみましょう。日々の小さな蓄えが、いつか膨大な数になるものです。

キーワードで読書する

本を「スキミング、スキャニング」する

作者が練った表現を文脈の中で理解して、そのニュアンスを含みつつ引用する……など、活字をじっくり読んで、味わいながらいい言葉を探せたらこの上ないことです。

でも、忙しくて読書の時間がなかなかとれない、と思う方も多いことでしょう。

私自身も、忙しくてなかなか自分の好きな本が読めないときもあります。

そんなときは活字媒体の斜め読みをしてみます。

よくある雑誌や本を〝パラパラめくる〟や〝サイトをブラウジングする〟イメージですね。

そのときのポイントは、「今日の目的」「探していること」を念頭に置いてから、読書を始めることです。

すると、脳が無意識にその言葉を拾い上げるように読んでくれます。結果、読書の効果、効率はぐんと上がります。

その場合、一文字ずつ読むのではなく、塊で脳に焼き付けるように、目を動かします。あるいは、全体をパッと見て、気になる見出しを頼りに読むだけでもいいと思います。

こうしてサッと読んで理解したり、必要な情報を見つけ出す読み方に、スキミングとスキャニングがあります。

簡単にまとめると、こんな方法です。

スキミング　：速く読んで文章の要点や大まかな意味をつかむ技術
スキャニング：できるだけ速く必要な情報を探す技術

では、それぞれのやり方を説明しましょう。

■スキミング

スキミングは文章の中から「大まかな意味をすくいとる技術」です。

最近はカードの情報を抜き取るときにも使われてしまうスキミングという言葉ですが、本来はこうした「表面をすくいとる」という意味で使われます。その作業は、次のようなものになります。

・文章をざっと見て流れをつかむ
・見出しから大意をつかむ
・本文を塊で読んでいき、だいたいの意味を理解する

方法は、なるべく塊で文章を見て、およそ書かれている内容を理解していきます。高速で要約をしていくような感じです。タイトルや見出しは「読む指標」になります。

■スキャニング

スキャニングは文章の中から「必要な言葉や情報を探し出す技術」です。

スキャニングはデータなどを写真のように読み取る「スキャン」と同じで「すばやく見通す」といったところです。たとえば、みなさんも次のような作業でしていることと思います。

・文章の中で探しているキーワードを見つける
・ネット検索の一覧で、欲しい情報をさっと探す
・カタログから、必要な商品を見つけ出す

方法は、キーワードや文章の塊をきっかけに、ページの中からさっと必要な情報を探し出します。大切な言葉や情報に光をあててピックアップするイメージです。

どちらも文章を味わうのではなく、必要な情報を得るときの作業です。このスキミングとスキャニングを意識するだけでも、情報をインプットするスピードは驚くほど上がり、効率的に作業が進むようになるはずです。

スキミング、スキャニングでは音読しない

どちらの方法でも共通して大切なことがあります。

それは「音読をしない」「文章の流れを塊と捉えて情報をつかみとる」ことです。

音読をしたくない理由は、どうしても一文字ずつを読んでしまうことにあります。本当に声に出さなくても頭の中で音読と同様の作業をしてしまえば、意味を追うより文字を追うことになって、読むスピードは落ちてしまうはずです。

大切な意味を持つ文字を中心に、なるべく意味のまとまりを塊でつかまえていくこと。これだけで、活字を読むスピードや効率は各段に上がっていきます。

こうした方法のひとつで海外受験をするときに学んだ、英語の速読用の目のトレーニングが、ちょっとおもしろいものでした。

参考にした本には、英文の単語の下に黒丸がついていて、情報を得るために大切な

言葉に大きな黒丸「●」、be動詞や前置詞のような単語には小さな点「・」がついていました

最初は、文字を読まず「●」だけを追って、目を動かします。それから「●」部分の単語を中心に文字の意味をとり、だんだん範囲を広げていきました。

これを日本語に応用してみましょう。

日本語の場合は、まず漢字を中心に幅広く文字を捉えます。慣れたら数行いっぺんに。さらに慣れたら、必要な情報を見つけるきっかけの言葉を、スキャニングで拾います。

雑誌やネットなら、見出しをヒントに文字を追うのもひとつの方法でしょう。

こうして情報を得ることに集中して、目をすばやく活字の上を滑らせていくことで、効率よく必要な内容を拾っていくことができるのです。

2割の本質を見極める

働きアリとパレートの法則

よく「働きアリの法則」というのを耳にします。

たとえばアリが10匹いると、よく働く2匹が全体の8割の食料を集めてくるというものですね。これに似た話でイタリアの経済学者・社会学者のヴィルフレド・パレートによる「パレートの法則」も、ご存じの方も多いかもしれません。

こちらは「80：20の法則」とも呼ばれます。

全体の数値の大部分は、全体を構成するうちの一部の要素が生み出しているという理論。主に経済分野で使われるのですが、社会現象などさまざまなことにあてはめて使われるのを見かける理屈ですね。

たとえば、「会議で出席者の2割が全体の8割の発言をする」「必要な資料のうち2割が全体8割を占める大切な情報だ」など。あてはめ方によってはかなり大雑把な気もしますが。

ここでお伝えしたいのは、「インプット」した情報のすべてを覚えたり、記録したりする必要はないということ。たとえば資料を読むときでも、本質的な2割のことを捉えればよく、すべてを細かく覚える必要がないということです。

「うまく情報をより分けると、結果的におよそ2割を読めば十分な情報の割合だ」

くらいに捉えて時間を上手に使うのがスマートなやり方。大事なことから吸収したり、片づけたりしてみるとよさそうです。

忙しい中でも、まずは2割を見つけ出すつもりでなら、情報集めも少し気を楽に続けられそうです。

ネタは「雑談」の中に落ちている

日常の何気ない話から、意外な名言やエピソードが飛び出してくることもよくあります。百田尚樹さんの『雑談力』（PHP新書）は、書籍ではありますが、雑談のネタやエピソードの宝庫。おもしろかったので、一節を引用させていただきます。

「文豪ゲーテの最後の言葉は『もっと光を！』というものです。（中略）でも話がこれだけだと『ふーん、凄いね』で終わります。ところが、実際はこのゲーテの言葉には続きがあったのです。それは『格子戸を開けてくれ』というものでした。要するにゲーテは、部屋が暗いので明るくしてくれと言っただけだったのです」

省略した部分で、「大傑作『ファウスト』を書いた文豪らしい言葉で、かつ哲学的です」とあり、まずその偉大さや思考の深さを伝えた上で、「実は暗かっただけ」というオチなんですね。

あくまでも書籍からの引用ながら、ちょっとした小話的です。根幹に流れる基本テーマを考えると、いろんな話題への引用が考えられそうです。

たとえば、「私たちは、勝手な哲学的イメージや希望で『もっと光を！』と意味深い言葉を残した……という色メガネで見たんだね」や「哲学っぽい言葉でとめて含みを持たせた、いわば願望が作り上げた名言」など、取り方はさまざま。これを引用するならば、

「人は思い込みで物事を見たり、自分の勝手なイメージを作り上げることがあります。たとえば、ゲーテという作家が偉大なあまりに、周りが早合点した名言に……」

というように「思い込み」「色メガネ」「偉人も普通の人だった」……など、さまざまな側面から生かせそうですね。

日常の雑談の中にも根幹を見ると含みのあるおもしろい話はたくさんあります。
もうひとつ例を挙げると、世界情勢の話をするとき、こちらもよく知られた国民性を表すちょっとした逸話、小話があります。

「沈没しそうな豪華客船。船長は乗客たちに〝海に飛び込んで脱出するよう〟促さなければならない。船長は外国人の乗客たちの国籍に合わせて、こんなふうに伝えた――。

アメリカ人には「飛び込めばあなたは英雄になれる」
イギリス人には「飛び込めばあなたは紳士です」
ドイツ人には「飛び込むことがこの船の規則です」
イタリア人には「飛び込めば女性にもてますよ」
フランス人には「飛び込まないでください」
日本人には「もうみんな飛び込んでいます!」

これはよく知られたジョークですが、国民性の核心を案外ついていると言われています。少なくとも、日本人の気質を読めばそうと見てとれますよね。

これなら海外のニュース、文化の違いなど、根幹に流れるテーマに共通点を見つければ、ビジネスにだって応用できます。

たとえばこの話なら、日本人が対外的にどんなふうに見られているか……といったときに、デフォルメされてはいるものの、わかりやすいたとえとして引用することもできそうです。

あるいは「そういえばこんな話がある」というふうに会話を広げたり、話におもしろ味や深みを出すためにも一役買ってくれそうです。

視点を裏返す

～視点を変えてモノを見る

いろんな言葉や情報にアンテナを張り、どんどん集めていくときに、引用する言葉や情報と、自分が伝えたい内容の共通点、あるいは逆説的な面など、言いたいことをバックアップできる側面を見つけておくと便利です。

一見まったく違う内容に見えて、実は85ページで紹介したように、複数の側面からサポートできるかもしれません。

ちょっとした発想の転換は、人を話に惹きつけるためにも効果を発揮します。

たとえば、天然痘のワクチンを作った医師のジェンナーは「天然痘を予防するにはどうしたらいいか」と考えて、人に牛痘（命の危険がない牛の天然痘）を接種し抗体を作る方法を開発しました。

この病原体は強く、多くの人が天然痘で亡くなったそうです。ところが、牛のミルクを絞る女性たちは、天然痘にかからなかったそうなのです。

そこで今度は「〝どうすれば〟かからないか」という視点から、「〝なぜ〟乳しぼりの女性は天然痘にかからないのか？」に視点変換。〝なぜなら〟女性たちの多くはすでに牛痘にかかっていたわけですね。

「どうして」から「なぜ」という疑問に発想を転換する。

牛痘は人痘よりも症状が軽く、ワクチンに向いていることをこうして発見したそうです。視点を変えてみると、見えていなかったことが見えてくるものですね。

表からだけではなく裏からも見てみる。

82ページのように、否定することで自分の意見を持ち上げて見るのもいいでしょう。または85ページの話のように、失恋の傷を心の面から見るか、時間の観点から捉えるか。あるいは、男女比のデータを引用するなど、多様なアプローチ方法を考えてもいいかもしれません。

あらゆる言葉や情報の蓄積は、いろんな角度からその意味を整理しておくことで、さらに強いサポートにできそうです。

引用メモ&ノートを作る

心に響いた言葉を記録する習慣

あんなに「いいアイデアだ！」や「このミュージシャンいいな」と思ったのに、家に帰ったら「あれ、なんだっけ」なんて経験は誰でもありますよね。

繰り返しになりますが、使えそうな言葉、エピソードはとにかく記録。

個人的なお勧めは媒体を問わず「メモ」をとることです。

エバーノートといったアプリや、スマートフォンのメモパッドなど、使いやすいものでOKです。大事なのはすぐにあとで見返したりできること。通常の紙のノートやメモ帳、手帳でもかまいませんが、検索性の観点からはアプリがお勧めです。

テレビで流れたあのセリフ、いいなと思ったら、すかさずメモ。キャプションが流れたなら写メを撮ったり、とり急ぎ録画したりしてメモに起こすのもいいかもしれません。

古い実験ながら「エビングハウスの忘却曲線」をご存じの方もいるでしょう。学習してから少し時間をおいたあとに、完全に記憶しなおすために必要な、復習の時間や回数を記録した実験です。今でもよく復習をするタイミングを計るために引用されている、と聞くと「あれか」と思う方も多いかもしれません。

これは、人は比較的短時間で記憶力がガクンと落ち、1日では34%、6日では25%だけ記憶が残っているといった内容。できれば翌日、1週間、そして1カ月くらいで再度その情報に触れておくと忘れにくくなるとされています。

引用メモの内容は、もちろんすべて記憶しておく必要などありません。

ただ、せっかくためた情報を、メモしてあることすら忘れてしまわないように、ときどきでも眺めてみてください。すると記憶の引き出しも整理されて、情報も引っ張り出しやすくなります。

さらには、いざ使いたいときに「あんな言葉、こんな情報があったな」と簡単に検索、確認できるように整理しておくときっと役立ちます。

インプットした情報を整理する方法

いい引用をするためには、いつでも取り出せる情報源が必要です。書きとめたメモなどときどき整理しておくと、使いたいときに簡単に引き出せるようになります。時間がない毎日の中で、なるべく面倒なく、簡単にできるように。先述のメモは紙でもスマートフォンでも音声でもなんでもよいので、ご自身がスッと整理できる方法がいいでしょう。

ノート：ルーズリーフなどで、並べ替えられるように、分野ごとに分けて書いていく
データ：アプリやワードやエクセルで、項目ごとに検索しやすくしておく
音声　：基本メモをとったら消してＯＫ。残すときには、内容がひと目でわかるようにタイトルづけしておく

私は、名言の整理はエクセルでまとめています。

縦を項目別に「仕事」（チームワーク、経営哲学…など）「人生哲学」「男と女」「生活」「癒《いや》し」……のように分けたら、それぞれ横欄に「名言」「人物」「（書籍名・番組名など）出典」「プロフィール」「映画などの場面」などの項目で説明を添えておきます。

縦：内容の分類（仕事、チーム、人生哲学……など）

横：人名、プロフィール、引用元、前後の話題など

名言やデータにまつわる前後の話題というのは、この話を聞いたときのいきさつや、名言を言った人の物語、そのデータの裏話……など。引用するときには、こうした話があってこそ、その情報が生きてきます。

たとえば、前述のスター・ウォーズの映画を見たことがない人にその映画の名言を話すなら、ストーリーの流れや主人公の置かれた境遇などをメモしておいて、引用する際に伝えましょう。

すると、その情報がより引用した内容や意味を膨らませてくれるものです。

著名な人なら、人物そのもののストーリーをプロフィールのように短く添えると、話に深みが加わります。

こうした前後の情報を付け加えることは案外大切です。面倒なのですが必ず役に立つので、どんなに少しでも、メモを残すことをお勧めします。

「ストック用」か「今必要」かで考える

さらに大きな分類として、2種類が考えられます。

・分野を問わず、日々ストックする内容
・今、特に気にかけるべきテーマ

今まさに必要な情報はひとつの資料としてまとめて、さらに今後のために全体のデータの中でも整理しておくと、また必要になったときに調べなおす手間が省けます。

こうした全体のデータをひとつにまとめておくと、人物、内容など必要に応じてすぐに検索可能になりますし、出典やサイトURLを一緒に書いておくと、あとで確認をするときも楽にできます。

ちょっと面倒なようですが、書くだけでも、だいぶ記憶に残ってくれるもの。使いたいときに使いたい情報が記憶からもデータからも、すんなりと取り出せることで、さらにアウトプットが楽になるはずです。

電車や移動時間に、毎日少しずつまとめるだけ。気づいたときには大きなデータストックになっていますよ。

引用をアウトプットする習慣

インプットが増えたら、実際に引用して話す経験を積むことで、引用力は磨かれていきます。

あらゆる場面で意識的に言葉やエピソードなどを引用するうちに、自然にアウトプットができるようになるわけです。家族と話すとき、会議でのプレゼン、雑談の場など機会を見つけて、どんどん話をするようにしてください。

使うほどに記憶に定着しますし、一度使うと自分に馴染んでまた違う場面でも使いやすくなり、違う内容の引用方法もわかるようになります。

かつて無声映画で活躍したチャップリンは、毎晩仲間たちとひとつお題を掲げては、それについておもしろい話をすることで、自分の話術を磨いていったのだそうです。話も練習が必要で、話さないことにはなかなか上達は見込めません。

そしてアウトプットをすることで、さらに新しい情報を取り入れたくなり、新たなネタを探すようになり、どんどん新しい情報を見つけて吸収し、語彙も言葉もデータも自分の中に蓄積されていく……というプラスのスパイラルができあがります。

その引用があるからこそ話に深みが出たり、データとして納得したり、何かしら驚きをもたらす……そんな体験をすることで、人に何かを伝えることがより楽しくなります。そして、話を聞いた人たちの心が動くことで、話した人の能力を認めてくれることにつながっていくことでしょう。

引用の引き金を作る

用意をして臨むスピーチやプレゼンでも、その場で即興で話す場面でも、あらゆる情報も名言もすぐに取り出せるようにしておきたいところです。

ここまでで、日常的にストックを作っておく方法などをお伝えしましたが、今度は、それを引っ張り出すとしましょう。

先述の通り整理方法はさまざまで、ご自身が使いやすく面倒が少ない手段が一番です。とにかく日々眺めたり、検索性を高めたりしておくと、探す時間も手間も省けます。さらに、自分の記憶の中でも「こういうのがあったな」と思い出せるような、記憶を引っ張り出す引き金「トリガー」を作っておくといいと思います。

たとえば、人生論などの分野、あるいは野球選手などその言葉を言った人の職業、読んだ本など、なんでもいいので自分が「たしかこんな言葉だった」と記憶を引っ張り出す糸口だけでも覚えておいて、検索のきっかけにします。

すると、必要なときに引用したい情報が取り出しやすくなるはずです。

自分のメモやデータで見つけられないときには、再度「光」「哲学」「作家」のように「こんな感じ」という記憶から検索しなおすと、先ほどのゲーテの「もっと光を！」という言葉に行き当たるかもしれません。

今は書籍でも論文でも、ネットで検索できます。いざとなればKindleなどのデジタル書籍を購入して本の中を検索すると、ラクに文章に行き当たります。

シャープに伝える方法

起承転結のように、話にメリハリを持たせることは大切です。

『知的文章とプレゼンテーション』（中央公論新社）では、話を伝える際に大切な内容を引用してこんなふうに伝えていました。

話の要素をシャープ（SHARP）と頭文字で表わした内容です。

S：Story（話の物語性・筋書）
H：Humor（ユーモア）
A：Analogue（たとえ）
R：Reference（資料）
P：Picture（図解、写真）

導入から結論に至るまでの魅力あるストーリー、資料に裏付けられた信頼性のある内容、そして、巧みなたとえと図解、写真でわかりやすく説明し、ときどきユーモアを交えて、聴衆を飽きさせない。このような話ができれば理想的である、ということです。

Sの話の流れは、自分が伝えたいことを主体に組み立てます。そこに加えていくHARPに関しては、引用でカバーできることが多そうです。

私的な話でもプレゼンやスピーチでも、ただ聞かされるだけの話は退屈なのは誰もが経験をしたことがあるでしょう。

ユーモアやたとえを交え、データや資料を持ってくるなど、引用を生かして話に起伏をつけてあげてください。さらに本当の写真でなくとも、イメージが浮かぶように伝えるだけでもいいんです。

先述の通り、伝えた数字は忘れても、浮かんだイメージは記憶に残るはず。

せっかく引用するときには、こうしたSHARPなども意識することで、引用のバリエーションが増えそうです。

第6章

今日から使える名言集

■【人生論】

これくらいでは足りない、もっと奥まで追求したい、もっと前に向かって進んでいきたい、というのが仕事をする上での、また生きる上での重要なモチーフになっている。

作家　村上春樹

世界ではなく、自分自身を征服せよ

哲学者・数学者　ルネ・デカルト

無限なものには2つある。宇宙と人間の愚かさだ。ただ、宇宙が無限だとは断言できないが。

理論物理学者　アルバート・アインシュタイン

自分が多数派側にいると気づいたときは、立ち止まって熟考すべきときだ。

作家　マーク・トウェイン

ときには踏みならされた道を避けて、森の中に入り込みなさい。
今までに見たことがない何かを見つけることができるはずだ。

科学者・発明家　アレクサンダー・グラハム・ベル

仕事を思いきりしたうえで、さらに思いきり遊ぶことこそ、素晴らしいことだと思う。

ソニー創業者　盛田昭夫

私たちに見えている世界は、世界そのものではなく、
私たちの見方がそう見させているのだ。

哲学者　ルートヴィヒ・ウィトゲンシュタイン

希望とは田舎の道のようなものだ。
元来なにもなかったところに、たくさんの人が歩くことで道が生まれる。

小説家・思想家　魯迅

■【成功と失敗】

人生を成功させる秘訣は、チャンスが来たときに、それに対する用意ができていることである。

政治家　ベンジャミン・ディズレーリ

あら探しをするな、解決策を見つけるんだ。

フォード・モーター創業者　ヘンリー・フォード

成功しようという自身の決心ほど重要なものはないと、常に心に留めなさい。

アメリカ合衆国第16代大統領　エイブラハム・リンカーン

失敗とは転ぶことではなく、そのまま起き上がらないこと。

女優・プロデューサー　メアリー・ピックフォード

失敗を受け入れることはできる。ただ挑戦しないことだけは許せない。

元バスケットボール・プレーヤー・実業家　マイケル・ジョーダン

成功は幸福の鍵ではない。幸福が成功の鍵なのだ。
もし自分がやっていることを好きならば、成功するだろう。

ノーベル平和賞受賞者・医師　アルベルト・シュバイツァー

決してミスをしない人間は、まったく何もしない人間だけだ。

アメリカ合衆国第26代大統領　セオドア・ルーズベルト

すべての失敗には、他にとるべき手立てがある。それを見つけるだけのこと。
道が塞がれていたら、回り道をすればいいだけだ。

実業家　メアリー・ケイ・アッシュ

■【努力】

天才とは1%のひらめきと、99%の努力である。

発明家　トーマス・エジソン

小さいことを積み重ねることが、
とんでもないところへ行くただひとつの道。

元プロ野球選手　イチロー

努力は必ず報われる。
もし報われない努力があるのならば、それはまだ努力と呼べない。

元プロ野球選手・監督・福岡ソフトバンクホークスの取締役会長　王貞治

諦めない心と忍耐は、困難を消し去り、障害物を一瞬にして砕く魔法のような力が湧いてくる。

アメリカ合衆国第6代大統領　ジョン・クインシー・アダムス

かけがえのない存在になるためには、常に人と違っていなければならない。

実業家　ココ・シャネル

幸福を増やしたいと思う人は誰でも、賛美の念を増やし、ねたみを減らしたいと願わなければならない。

哲学者・ノーベル文学賞受賞者　バートランド・ラッセル

■【仕事とリーダーシップ】

品質とは、誰も見ていないときに手を抜かないことだ。

フォード・モーター創業者　ヘンリー・フォード

自分が今出せる１００％をしっかり試合で出す。

プロ野球選手　大谷翔平

何事も行き詰まれば、まず、自分のものの見方を変えることである。案外、人は無意識の中にもひとつの見方に執して、他の見方のあることを忘れがちである。

パナソニックホールディングス創業者　松下幸之助

人が集まってくることに始まり
一緒にいることで進歩し、共に仕事をすることで成功する。

フォード・モーター創業者　ヘンリー・フォード

マネージメントとは、つまるところアート、サイエンス、クラフトの出会いを実践することである。

経営学博士　ヘンリー・ミンツバーグ

リーダーは人々が行きたい所へと導くもの。
偉大なリーダーは、必ずしも行きたい場所ではなく、行くべき地へと導いてくれるものです。

アメリカ合衆国第39代大統領ジミー・カーター夫人　ロザリン・カーター

■【想像力と能力】

技術の上手下手ではない。その心が人をうつのだ。

指揮者　小澤征爾

想像力は知識よりも重要だ。
知識は限りあるが、想像力は世界を包み込むものだから。

理論物理学者　アルバート・アインシュタイン

誰でも才能を持っている。それが何かを発見するまで動き回ることが重要なんだ。

映画監督　ジョージ・ルーカス

才能を隠したままではいけない。
才能は使うためにある。
活かされない才能は日陰にある日時計のようものだ。

政治家　ベンジャミン・フランクリン

天才の秘密とは、大人になっても子どもの精神を持ち続けること。
つまり決して情熱を失わないことだ。

詩人・小説家　アルダス・ハックスリー

ひとりの人間にとっての最大規模の発見であり、最大級の驚きは、
できないだろうと恐れていたことが、実はできるとわかることだ。

フォード・モーター創業者　ヘンリー・フォード

知るだけでは十分ではない、それを使わなければならない。
やる気だけでは足りない、実行に移すべきだ。

作家・詩人　ゲーテ

■【人間関係】

同じ顔の人間がいないように、同じ意見の人間もいやしない。
だからおもしろいんだよね。

映画監督　黒澤明

自分に対する人の態度を変えたいなら、
自分の人に対する態度を変えることだ。

心理学者　ティモシー・リアリー

人格は木、評判はその影。
影は私たちが考え出したもの。木だけが真実なのである。

アメリカ合衆国第16代大統領　エイブラハム・リンカーン

噂されるよりも悪いことがある。それは噂にもされないことだ。

作家　オスカー・ワイルド

飛ぶためには、抵抗が不可欠なのだ。

建築デザイナー　マヤ・リン

コミュニケーションでもっとも大切なのは、言葉にならない声に耳を傾けることだ。

経営学者　ピーター・ドラッカー

あらゆる批判は、賞賛という名の分厚いパンでサンドすること。

実業家　メアリー・ケイ・アッシュ

まったく違う知識や考えを持った人とまず対話できることこそ大事だ。

ソニー創業者　盛田昭夫

概して、人は自分がこうあって欲しいと願う通りに信じようとするものだ。

シャイクスピア『ジュリアス・シーザー』

彼を裁くまえに
彼を理解しようと努めるべきである。

作家・飛行家　サン＝テグジュペリ

■【幸福論】

幸福というのは、その境遇によるのではなく、心の持ち方次第なのです。

アメリカ合衆国初代大統領ジョージ・ワシントン夫人　マーサ・ワシントン

誰もが世界を変えたいと思っているが、自分を変えようとは考えていない。

作家　レオ・トルストイ

幸運は一度しかノックしないが、不運はかなりしつこいものだ。

教育学博士　ローレンス・ピーター

楽観主義者はあらゆる危険をチャンスとみなし、悲観主義者はすべてのチャンスに危険を見出す。

第二次世界大戦時のイギリス首相　ウィンストン・チャーチル

世界が困難に直面したときに音楽やアートがあることが、人々にとってどれほどの救いとなることか——。

音楽家・俳優　坂本龍一

私たちは夢を見て、思い出に浸り、無限の宇宙に思いを馳せる時間が必要だ。自分自身になるための時間である。

作家　グラディス・テイバー

＜参考文献・資料＞

『君主論　新版』マキアヴェリ著　池田廉訳　中央公論新社／『経営者になるためのノート』柳井正著　PHP 研究所／『アルケミスト 夢を旅した少年』パウロ・コエーリョ著　山川紘矢・山川亜希子訳　KADOKAWA ／『雑談力』百田尚樹著　PHP 研究所／『勝つための論文の書き方』鹿島茂著　文藝春秋社／『森田昭夫語録』森田昭夫研究会編　小学館／『星の王子さま』サン＝テグジュペリ著　内藤濯訳　岩波書店／『たしなみについて』白洲正子　河出書房新社／『世界の一流は「雑談」で何を話しているのか』ピョートル・フェリクス・グジバチ　クロスメディア・パブリッシング／『失敗の科学』マシュー・サイド著　有枝春訳　ディスカヴァー・トゥエンティワン／『小澤征爾さんと、音楽について話をする』村上春樹、小澤征爾著　新潮社／『ぼくはあと何回、満月を見るだろう』坂本龍一著　新潮社／『黒澤明「生きる」言葉』黒澤和子著　PHP 研究所／『故郷 / 阿 Q 正伝』魯迅著　藤井省三訳　光文社／『ラッセル幸福論』バートランド・ラッセル著　安藤貞雄訳　岩波書店／『預言者』カリール・ジブラン著　佐久間彪訳　至光社／『方法序説』デカルト著　谷川多佳子訳　岩波書店／『「原因」と「結果」の法則』ジェームズ・アレン著　坂本貢一訳　サンマーク出版／『コトバのギフト』上野陽子著　講談社／『アイデアのヒント』ジャック・フォスター著　青島淑子訳　CCC メディアハウス／『アイデアのつくり方』ジェームス・W・ヤング著　今井茂雄訳　CCC メディアハウス／『緒方貞子氏インタビュー』日本経済新聞 2002 年 1 月 1 日／ Commentaries on the Gallic War　Book III, Chapter 18 ／ The Prophet(English Edition), Gibrān Khalīl, Pandora's Box. Kindle 版／ The Picture of Dorian Gray, Wilde, Oscar. Amazon Classics Edition, English Edition ／ The Wisdom of China and India, ed. and trans. Lin Yutang New York: Random House ／ 3365 Quotes to Live Your Life By: Powerful, Inspiring, & Life-Changing Words of Wisdom to Brighten Up Your Days　I. C. Robledo Independently published ／ Greatest Inspirational Quotes: 365 days to more Happiness, Success, and Motivation (English Edition) Joe Tichi CreateSpace Independent Publishing Platform ／ TED: Ideas Worth Spreading　https://www.ted.com/talks ／ Steve Jobs' 2005 Stanford Commencement Address https://www.youtube.com/watch?v=UF8uR6Z6KLc

Goodreads.com http://gooddreads.com ／ Brainyquote.com http://brainyquote.com ／ ORICON NEWS http://oriconnews.com 2018 年 3 月 14 日（revise）／トヨタイムズ　豊田章男スピーチ　https://www.youtube.com/watch?v=l147wqKkq6A ／ FNN プライムオンラインサイト　https://www.fnn.jp/articles/-/7633 ／イチロー新記録を語る２６２安打 https://www.youtube.com/watch?v=tOwLflWuFUY&t=2995s　／ニッセイ基礎研究所 (nli-research.co.jp) 新型コロナで増えた消費、減った消費

ほか様々な書籍、雑誌、映像、インターネットなどのメディアを参考にさせていただきました。

著者紹介

上野陽子 コミュニケーション・アナリスト。翻訳家。ボストン大学コミュニケーション学部修士課程でジャーナリズム専攻、東北大学博士前期課程で人間社会情報科学専攻修了。通信社、出版社、海外通販会社の執行役員などを経て現在に至る。『1日1語、今日のあなたを元気にすることばのサプリ』(三笠書房)、『コトバのギフト 輝く女性の100名言』(講談社)、『スティーブ・ジョブズに学ぶ英語プレゼン』(日経BP社)ほか著書多数。
本書では、世界中のスピーチ・名言などを分析研究してわかった、伝わる・刺さる・心に残る・話が深くなる引用術を徹底解説。信頼感・納得感が増す話し方の秘密を明かします。

心《こころ》に刺《さ》さる、印象《いんしょう》に強《つよ》く残《のこ》る
超《ちょう》・引用力《いんようりょく》

2024年2月10日　第1刷

著　者　上野陽子《うえのようこ》

発行者　小澤源太郎

責任編集　株式会社 プライム涌光
電話　編集部　03(3203)2850

発行所　株式会社 青春出版社
東京都新宿区若松町12番1号 〒162-0056
振替番号　00190-7-98602
電話　営業部　03(3207)1916

印刷　中央精版印刷　製本　フォーネット社

万一、落丁、乱丁がありました節は、お取りかえします。
ISBN978-4-413-23344-6 C0030